KB161859

논·술·세·계·대·표·문·학

60

닥터 지바고

보리스 빠스쩨르나끄 | 박상란 엮음

훈민출판사

사람들 앞에서 연설을 하는 레닌 – 러시아 혁명의 원동력이 된 사람이다.

The Best World Literature

러시아의 우스펜스키 사원

레닌 동상 – 레닌은 러시아 혁명의 기초를 마련하였다.

러시아의 블라디보스토크 항 – 러시아의 가장 중요한 항구 도시로, 북한의 국경과 인접해 있다.

볼쇼이 극장 – 모스크바에 있는 국립극장이다.

러시아의 혁명을 상징하는 조각

모스크바의 어린이들

러시아의 농촌 풍경

The Best World Literature

모스크바의 붉은 광장

러시아 혁명 – 〈닥터 지바고〉에서는 러시아 혁명의 와중에서 희생당하는 사람들의 얘기가 실려 있다.

기획 · 감수

구인환(丘仁煥)

서울대학교 사범대학 졸업. 동 대학원 졸업(문학박사)
서울대학교 명예교수, 소설가(현). 서울대학교 사범대학 국어교육연구소 소장(현)
문학과문학교육연구소 소장(현). 국제펜 한국본부 부회장(현)
한국소설문학상(1987). 예술문화대상(1994). 한국문학상(2000)
작품 〈숨쉬는 영정〉, 〈살아 있는 날들〉, 〈일어서는 산〉 외 다수

• **저서** 《한국단편소설의 이해》, 《한국현대소설의 비평적 성찰》,
《고교생이 알아야 할 소설》, 《고교생이 알아야 할 세계단편소설》 외 다수

윤병로(尹柄魯)

성균관대학교 국어국문학과 졸업. 동 대학원 졸업(문학박사)
성균관대학교 교수, 문학평론가(현). 한국현대소설학회장(현)
한국문예학술저작권협회 이사(현). 한국간행물윤리위원회 위원(현)
한국펜 문학상(1987). 한국문학상(1988). 대한민국문학상(1989)
수필집 《나의 작은 애인들》 외 다수

• **저서** 《현대 작가론》, 《한국 현대 소설의 탐구》,
《한국 근대 작가 작품 연구》, 《한국 현대 작가의 문제작 평설》 외 다수

홍성암(洪性岩)

고려대학교 국어국문학과 졸업. 한양대학교 대학원 국어국문학과 졸업(문학박사)
동덕여자대학교 교수, 소설가(현). 한국문인협회 회원(현)
한국소설가협회 이사(현). 국제펜 한국본부 소설분과 이사(현). 한민족 문화학회 회장(현)
창작집 《큰 물로 가는 큰 고기》, 《어떤 귀향》 외
대하역사소설 《남한산성》 (전9권) 외 다수

• **저서** 《문학의 이해》, 《현대 작가론》, 《한국 근대 역사소설 연구》 외 다수

모스크바 강에서 바라본 크렘린 궁전 – 옛 공산당의 총 본부이다.

논술 세계대표문학을 펴내며

21세기의 사회는 **'전자 문명 시대'** 라 일컬어질 만큼 오늘날 전자 산업은 우리 생활의 거의 모든 분야에 다양하게 응용되고 있습니다. 출판 분야 또한 예외는 아니어서, 종래의 서책(Book) 대신에 이른바 '전자책(CD-ROM)'의 출간이 최근 들어 날로 증가하고 있습니다.

그러나 이러한 전자책은 영상 또는 모니터상으로 흥미 위주나 백과사전식 지식을 습득하는 데는 효과적일지 모르지만, 문학 공부를 위해서는 별로 도움이 되지 않습니다. 바꾸어 말하면, 문학 공부는 각 지면마다 살아 숨쉬는 표현 하나하나를 독자 자신의 머리로 음미하면서 작품을 읽어 나가는 가운데, 풍부한 상상력의 배양과 함께 작가의 의도와 그 작품의 내면을 깊이 있게 이해함으로써 이루어지는 것입니다.

이에 훈민출판사에서는, 자라나는 학생들이 범람하는 영상 매체에 길들여지기 전에, 어려서부터 유명한 세계문학 작품들을 책자를 통하여 감명 깊게 읽고 감상함으로써, 올바른 문학 공부의 기틀을 다지고, 아울러 전인 교육도 할 수 있도록 《논술 세계대표문학(전60권)》을 펴내게 되었습니다.

작품 선정은, 초 · 중 · 고등학교 국어 교과서와 역사 교과서에 실리거나 소개된 문학 작품을 중심으로 하되, 그리스 신화와 성경 이야기 등의 고전에서부터 중세 · 근대 · 현대에 이르기까지 세르반테스 · 셰익스피어 · 톨스토이 등 세계 유명 작가들의 장 · 단편 소설들을 엄선 · 수록하였습니다. 또 세계의 명시도 별권으로 엮었으며, 특히 각 단락마다 **'논술 문제'** 를 제시하여, 장차 대학입시를 비롯한 각종 '논술 고사'에 예비 지식을 쌓을 수 있도록 배려하였습니다. 아무쪼록, 이 《논술 세계대표문학(전60권)》이 자라나는 학생들에게 문학 공부의 주춧돌이 되고, 나아가 미래를 살아가는 데 **정신적 자양분**이 되기를 진심으로 바라 마지않습니다.

훈민출판사

차례

닥터 지바고

파스테르나크

지은이

1890~1960년. 러시아 모스크바에서 출생. 1914년 첫 시집 《구름 속의 쌍둥이》를 발간하였고, 1922년 〈나의 누이, 삶〉을 발표하면서 유명해졌다.
러시아 혁명기의 격동 시대에 살았던 그는 자신의 책이 대부분 출판 금지당하여, 번역하는 일로 생계를 유지하였다. 그러다가 1956년 모스크바의 유력한 월간지에 소설 《닥터 지바고》를 기고했으나, 10월 혁명과 옛 소련의 새로운 사회 건설을 중상했다는 비방과 함께 거부당했다. 하지만 이탈리아에서 겨우 출판된 이후에는 전세계로 알려지게 되었으며 영화로도 만들어졌다. 파스테르나크는 이 작품으로 노벨 문학상을 받았지만, 옛 소련 정부의 압력으로 인해 상을 거부할 수밖에 없었다.

닥터 지바고

다섯 시 급행 열차

장례 행렬이 지나갔다. 길 가던 사람들이 장례 행렬이 지나가게 길을 비켜 주었다.

"어느 집 장례인가요?"

"지바고 댁이에요."

"어쩐지 다르군요."

신부는 기도가 끝나자 성호를 긋고 마리아의 시신 위에 한 줌의 흙을 뿌렸다. 관이 닫히고 못을 박자 관이 구덩이로 내려갔다. 사람들은 삽으로 흙을 파서 관 위에 뿌렸다.

열 살 가량의 소년이 두 손으로 얼굴을 가리고 흐느껴 울기 시작했다. 그 때 소년의 외삼촌인 니콜라이가 그를 위로해 주었다. 그는 한때 성직자였으나 스스로 성직을 물러난 사람이다.

두 사람은 수도원의 방 하나를 빌려 하룻밤을 묵었다. 소년은 니콜라이 삼촌이 근무하는 출판사가 있는 볼가 강 유역의 지방 도시로 여행을 떠날 예정이었다. 그 출판사는 진보적인 지방 신문을 내는 곳이었다.

소년 유리는 한밤중에 창문을 두드리는 소리에 잠이 깼다. 유리는 속옷 바람으로 창가로 달려가 차가운 유리창에 얼굴을 바싹 들이댔다. 창밖에는 눈보라가 무섭게 휘몰아치고 있었다.

유리는 갑자기 무덤 속에 누워 있을 어머니가 생각났다. 그 매서운 바람 때문에 어머니가 땅 속으로 더 깊이 사라져 버릴 것 같아 두려웠다.

유리는 어깨를 들썩이며 울었다. 니콜라이 삼촌이 잠에서 깨어나 유리를 위로해 주었다. 날이 밝자 그들은 여행을 떠날 준비를 했다.

유리는 어머니가 살아 계실 때는 아버지가 오랫동안 집을 떠나 외국을 돌아다니며 방탕한 생활을 했다는 사실을 몰랐다. 아버지가 집안의 엄청난 재산을 모두 탕진했다는 것 역시 몰랐다.

유리는 아버지가 사업 때문에 멀리 떠나 있는 줄로만 알았다. 몸이 약했던 어머니도 요양을 하느라 멀리 떠나 있었기 때문에, 그는 어머니와도 거의 함께 살지 못했다.

유리는 몹시 외로운 어린 시절을 보냈다. 돌보는 사람들이 자주 바뀌었지만, 그런 생활에도 곧 익숙해졌다. 시간이 흐를수록 아버지가 없다는 사실에도 그다지 마음쓰지 않았다.

유리는 거리 곳곳에 지바고라는 자기네 성씨가 넘쳐나는 도시에 살았다. 지바고 공장, 지바고 은행, 지바고 건물……. 그러나 하루 아침에 모든 것이 사라져 버리고 말았다. 지바고 가문은 몰락한 것이다.

1903년 여름, 유리는 니콜라이 삼촌과 함께 마차를 타고 들판을 지났다. 그들은 견직 공장 사장이자, 예술에도 적극적인 후원을 하고 있는 이반을 방문하러 가는 길이었다. 니콜라이는 토지 문제에 관해 이반이 저술한 원고를 교정하러 가는 중이었다. 당국의 검열이 엄해져서 출판사에서 저자에게 직접 내용을 수정해 달라고 부탁한 것이었다.

들판을 지나면 또 다른 들판이 나타나서는 이내 숲 속으로 사라져 갔다. 이러한 풍경을 보면서 유리는 다가올 자신의 미래에 대한 공상을 했다.

니콜라이 삼촌의 명성을 알린 저서는 아직 한 권도 없었지만, 이미 니콜라이의 사상은 정립되어 있었다. 그는 머지않아 최고의 작가와 대학 교수, 철학자와 어깨를 나란히 할 것이었다. 니콜라이는 톨스토이주의나 혁명적 이상주의를 뛰어넘기 위해 끊임없이 노력해 왔다.

유리는 삼촌과 함께 있는 것이 좋았다. 유리는 삼촌을 통해 돌아가신 어머니를 연상했다. 어머니도 삼촌처럼 자유롭고 신기한 것을 좋아했으며, 사람은 모두 평등하다고 생각했다. 또한 머릿속에 무언가가 떠오르면 그것을 표현해 내는 천부적인 재능을 지니고 있었다.

유리는 삼촌이 자기를 드플랸카로 데리고 가는 것이 좋았다. 그 곳은 매우 아름다운 곳이었다. 그 풍경 역시 어머니에 대한 기억을 불러왔다. 유리의 어머니는 자연을 사랑했고, 아들과 함께 시골길을 산책하는 것을 좋아했다.

유리는 그 곳에 사는 니카 두보로프를 만나는 것이 좋았다. 그러나 중학생인 니카는 유리보다 두 살이 많다는 이유로 유리를 무시하는 듯했다.

니콜라이와 이반은 함께 교정지를 고치는 일을 했다. 창문 틈새로 가벼운 바람이 들어왔다. 일을 마치자 니콜라이는 돌아갈 채비를 했다.

"폭풍우가 불어닥칠 것 같은데……. 곧 떠나야겠어요."

"무슨 소리예요? 차나 한잔 마시고 가요."

"죄송합니다만, 저녁 때까지는 시내로 돌아가야 합니다."

"그것 참 아쉬운데요."

하녀가 케이크와 크림을 가지고 들어오면서 하는 말이, 마부가 말을 목욕시키기 위해 강으로 끌고 갔다고 전했다. 어쩔 수 없이 니콜라이는 그 곳에 머무를 수밖에 없었다.

"차가 끓는 동안 잠시 강가에 나갔다 옵시다."

두 사람은 자두나무 울타리를 따라 걸었다. 두 사람은 과학과 문학에 공통된 관심을 가지고 있어서 새로운 작가와 학자들에 대해 이야기를 나누었다.

"그들 중에는 물론 재능이 뛰어난 사람들도 있지요."

"하지만, 요즘 사람들은 무슨 협회나 모임을 만드는 게 유행인가 봐요. 그것은 재능 없는 인간들의 피신처가 되어 주죠."

두 사람은 이런저런 이야기로 시간을 보냈다.

"오호, 이제 겨우 다섯 시군요."

이반 씨가 말했다.

"저길 보세요. 급행 열차가 오고 있소. 다섯 시 오 분쯤 여길 지나간답니다."

거리가 멀어서 열차는 아주 조그맣게 보였다. 그런데 어쩐 일인지 갑자기 기차가 멈춰 섰다.

"이상한 일이군. 무슨 사고가 난 모양이오. 저 늪지대에서 정차할 이유가 없는데……. 틀림없이 무슨 일이 생긴 걸 거요. 자, 이제 들어가서 차나 마십시다."

니카는 정원에도 집 안 어디에도 없었다. 어른들은 재미가 없고, 유리는 너무 어려서 자기의 상대가 못 된다고 생각했다. 그래서 니카는 어디론가 숨어 버린 것이다. 니콜라이 삼촌과 이반 씨가 일을 하고 있는 동안 유리는 집 주변을 돌아다녔다.

"참, 아름다운 곳이야."

유리는 정원을 거닐며 마치 어머니의 목소리를 듣는 듯했다. 새들이 지저귀는 소리와 함께 어머니의 목소리가 들리는 것 같았다. 유리의 마음은 차츰 우울해졌다. 그러다 마침내 무릎을 꿇고 울기 시작했다.

유리는 어머니를 위해 기도했다.

"주님, 변함없는 사랑으로 참된 길에서 벗어나지 않도록 해 주소서. 저는 잘 있으니 어머니께 걱정하지 않으셔도 된다고 전해 주소서. 만일 죽음 후의 삶이 있다면 어머니를 성인들과 의인들이 있는 곳으로 인도하소서……."

감정이 점점 격해진 유리는 기도를 하다가 그만 정신을 잃고 말았다.

얼마 뒤, 자기를 부르는 니콜라이 삼촌의 목소리에 정신을 차린 유리는 얼른 대답을 하고 자리에서 일어났다. 유리도 그제서야 자기가 행방불명된 아버지를 위해 기도하지 않았다는 것을 깨달았다.

유리는 어려서부터 어머니에게서 아버지를 위해 기도해야 한다고 배웠었다. 하는 수 없이 그는 아버지를 위해서는 다음에 기도드려야겠다고 생각했다.

"나중에 기도드리지 뭐. 그래도 용서해 주실 거야."

사실 유리는 아버지에 대한 기억이 하나도 없었다.

미샤 고르돈은 변호사인 아버지와 함께 기차 이등칸에 앉아 긴 여행을 했다. 중학교 2학년인 미샤는 크고 검은 눈을 가진 열한 살의 소년이었다. 소년은 아버지가 모스크바로 직장을 옮기게 되자, 아버지를 따라 전학을 가는 길이었다. 어머니와 누나들은 아파트를 구하기 위해 먼저 모스크바에 가 있었다. 미샤는 아버지와 함께 벌써 사흘째 여행 중이었다.

미샤는 유대 인이었다. 그러나 유대 인으로 살아가는 데에는 해결되지 않는 질문들이 너무 많았다.

다른 사람과 똑같은 손발을 갖고 있고, 같은 언어를 쓰고 있는데도 유대 인이라는 이유 때문에 많은 사람들에게 멸시를 당해야 했다. 철이 들면서 미샤는 '유대 인으로 산다는 것은 도대체 무엇을 의미하는 걸까? 무엇 때문에 유대 인들은 고통을 받아야만 하는가.' 에 대해 고민했다. 그리고 이 문제를 아버지께 여쭈어 보았다. 하지만 아버지 역시 납득할 만한 해답을 들려주지 못했다.

방금 전에 일어난 일만 해도 그렇다. 그 미친 사람이 갑자기 기차에서 뛰어내리려 했을 때, 아버지가 그를 뒤따라 간 것은 잘못이 아니었다. 그 사람이 아버지를 밀쳐 내고 승강장 문을 연 뒤 몸을 던졌을 때, 아버지가 비상 신호선을 당겼고 그 바람에 열차는 섰다. 그런데 사람들은 열차가 선 것이 아버지 때문이라고 생각했다.

미친 사람의 시체는 철둑 옆의 풀밭에 쓰러져 있었다. 호기심을 갖고 구경꾼들이 몰려들었다. 자살한 사람의 친구이자 동행인 변호사는 무표정한 얼굴을 하고 시체 곁에 서 있었다. 그는 도착한 경찰과 판사들에게 질문을 받을 때마다 무뚝뚝하게 대답했다.

"이 사람은 알코올 중독자요. 정신착란 증세가 있어서 일이 이렇게 된 것이오."

그러자 구경꾼 중 한 사람이 말했다.

"다 팔자 소관이지."

"그래도 그렇지, 이렇게 비참한 모습으로 죽다니. 돈 많은 부자가 머리는 왜 돌았을까?"

이 사건으로 충격을 받은 미샤는 슬픔과 두려움으로 울음을 터뜨렸다. 자살한 그 남자는 미샤의 아버지에게 와서 오랫동안 이야기를 나누고 돌아갔었다. 그는 미샤 아버지의 따뜻한 마음을 알게 되자, 자기의 재산 관리에 대한 법률 문제를 물어 보기도 했다. 자살한 남자가 어느 정도 안정을 찾을 때면 변호사가 와서 그를 데리고 가곤 했다.

미샤의 아버지는 미샤에게, 죽은 그 남자는 지바고라는 백만장자로 마음은 여리고 착하지만, 무책임하고 방탕한 사람이라고 말해 주었다. 그 남자는 미샤의 아버지를 찾아와 거리낌없이 미샤 또래의 아들과 아내에 관한 이야기를 했다. 그리고 자기의 두 번째 가족에 대해서도 이야기했다. 그러다가 무슨 생각이 떠올랐는지 공포에 질린 얼굴이 되어 횡설수설하다가는 입을 다물어 버리기 일쑤였다. 그 남자는 열차가 정거장에 설 때마다 기차에서 뛰어내려 선물을 한아름 사서 미샤에게 안겨 주었다.

그는 쉴새없이 술을 마셔 댔다. 잠시라도 술을 마시지 않으면 무서운 고통에 시달린다고 했다.

"유리가 또 왔네. 어휴, 귀찮은 놈이야."

니카는 심술궂은 생각으로 방 안을 두리번거리며 숨을 곳을 찾았다. 밖에서는 손님들의 목소리가 들렸으므로 도망갈 길이 막혔다. 니카는 재빨리 침대 밑으로 몸을 숨겼다. 니카는 손님들이 자기를 부르는 소리를 들었던 것이다.

"유리야, 니카가 없구나. 니카가 돌아올 때까지 너 혼자 나가 놀아야겠구나."

손님들이 빠져 나가자 니카는 창문을 열고 밖으로 빠져 나와 정원으로 도망쳤다.

열네 살인 니카는 어린애 취급받는 것이 싫었다. 니카는 좀 묘한 데가 있었다. 그는 흥분하면 곧잘 큰 소리로 혼잣말을 지껄였다. 어머니를 닮아 이따금 고상한 이야기를 하기도 했다.

'산다는 것은 참으로 좋은 일이야. 그런데 어째서 나는 이렇게 괴로운 걸까? 신은 물론 존재한다. 그러나 신이 존재한다면 그 신은 바로

나 자신이야.'

그는 자주 이렇게 중얼거렸다.

'그래, 저 나무더러 흔들리지 말라고 명령해야지.'

니카는 온 힘을 다해 마음속으로 '움직이지 마라!' 고 외쳤다. 그러자 나무는 금세 얼어붙은 듯 꼼짝하지 않았다. 니카는 기분이 좋아져서 큰 소리로 웃으며 강으로 수영을 하러 달려갔다.

니카는 함께 사는 이반과 나디아를 귀찮아했다. 항상 자기를 어린애 취급하는 두 사람이 그의 마음에 들 리가 없었다.

"나디아는 뭐야, 열다섯 살이라고 늘 어른인 체나 하고. 언젠가 맛을 보여 줄 거야."

강가에는 수련이 떠 있었다. 니카와 나디아는 함께 배를 타고 수련을 따고 있었다.

"학교 다니기 싫어. 나도 이제 내 인생을 시작할 나이야. 사회에 나가 남들처럼 돈을 벌어야겠어."

니카가 투덜거리며 말했다.

"어쩌나! 나는 너한테 2차 방정식을 배우려고 했는데……."

나디아가 말했다. 니카는 이 말이 자기를 기죽이려고 한 말임을 알았다. 니카는 학교에서 아직 2차 방정식을 배우지 않은 처지였다. 니카는 몹시 기분이 나빴다. 하지만 이내 감정을 숨기고 냉정하게 물었다.

"넌 이담에 누구랑 결혼할 거야?"

하지만 질문을 하는 순간 그것이 실수였음을 깨달았다.

"그건 먼 훗날의 이야기야. 난 아직 그런 생각을 해 본 적이 없어. 아마 난 누구와도 결혼하지 않을 거야."

"오해하지 마. 난 너한테 관심 없어."

"그럼 왜 그런 질문을 했니?"

둘은 말다툼을 했다. 니카는 자기를 기분 나쁘게 하면 강에 빠뜨리겠다고 을러댔다.

"어디 마음대로 해 보라지."

나디아도 니카를 약올렸다.

결국 둘은 맞붙어 싸웠다. 그러다가 둘 다 그만 연못에 빠지고 말았다. 그들은 물에 흠뻑 젖은 채 간신히 강기슭으로 나왔다. 니카 쪽이 더 맥이 빠진 것 같았다. 두 사람은 물에 빠진 생쥐 꼴이 되어 나란히 바위 위에 걸터앉았다. 니카는 화가 잔뜩 나서 입술을 꾹 다물었다. 한참 만에 나디아가 어른스런 말투로 말했다.

"니카, 너 정말 미쳤니?"

니카도 점잖게 대답했다.

"미안해."

둘은 젖은 몸으로 집으로 돌아왔다.

다른 세계에서 온 소녀

러일 전쟁이 끝나지도 않았는데, 의외의 사건이 벌어지는 바람에 전쟁은 무대 뒤로 밀려났다.

바로 혁명의 물결이 러시아 전역을 휩쓴 것이다.

이 즈음에 기샤르 부인이 아들 로디온과 딸 라라를 데리고 우랄 지방에서 모스크바로 이사를 왔다. 기샤르 부인은 미망인이다. 그녀는 아들은 육군사관학교에, 딸은 여학교에 보냈다. 딸 라라는 나디아와 같은 반이었다.

기샤르 부인의 남편은 약간의 돈과 주가가 떨어진 주식을 남기고 죽었다. 기샤르 부인은 재산이 줄어드는 것을 막기 위해 일을 시작해야만

했다. 그래서 양장점을 하나 인수했다.

그녀는 죽은 남편의 친구로 현재 자문을 얻고 있는 변호사 코마로프스키의 조언으로 이 일을 시작한 것이다.

코마로프스키는 러시아의 경제가 어떻게 돌아가는지 잘 알고 있는 사업가였다. 로디온을 육군사관학교에 보내자고 제안한 사람도 바로 그였다. 그는 로디온과 농담을 잘 했으며, 가끔 라라를 뚫어지게 바라보곤 했다.

기샤르 부인 가족은 가게 근처에 있는 집으로 옮기기 전까지 온테네그로 호텔에서 한 달 정도 지냈다. 이 곳은 모스크바에서 가장 험악한 곳으로, 빈민들이 많고 건달이 득실거렸다.

아버지가 세상을 떠난 뒤 이 집 식구들은 가난 속에서 살아야 했다. 기샤르 부인은 서른다섯 살로 금발머리에 풍만한 몸매를 가졌다. 그러나 심장병을 앓고 있어서 가끔 발작을 일으키기도 했다. 그녀는 소심한 성격으로 갈피를 못 잡고, 이 남자 저 남자의 품을 전전했다.

이 가족은 23호실에 살았다. 옆방인 24호실엔 첼로 연주자인 티슈케비치란 남자가 살고 있었다. 그는 친절한 사람으로, 상류 사회의 파티나 연주회에 불려가 연주를 해 주는 사람이다.

그는 기샤르 부인 가족과 친하게 지냈다. 아이들이 집에 있을 때 변호사인 코마로프스키가 찾아오면 기샤르 부인은 몹시 당황스러워했다. 그럴 때마다 티슈케비치는 기샤르 부인에게 자기 방을 쓰도록 배려했다. 얼마 안 가서 기샤르 부인은 그의 방문을 두드리고는, 눈물을 글썽이며 자기를 보호해 달라고 요청했다.

트베르스카야 거리 단층집에 기샤르 부인의 양장점이 있었다. 양장점 직원으로 일하는 올리아 데미나는 화물역의 직원으로 일하는 아저씨 집에서 살았다. 남들보다 일을 빨리 배우는 재주를 가지고 있는 올리아는 라라를 무척이나 좋아했다.

기샤르 부인은 양장점을 경영한 적이 없어서, 주인으로서의 위신을 세울 수 없을까 봐 걱정했지만 직원들은 성실하게 일했다. 그렇지만 세상이 시끄러운 탓에 항상 머릿속에서 걱정이 떠나질 않았다.

코마로프스키는 자주 가게에 찾아왔다. 그러면 양장점의 직원들은 '나리가 오셨네.', ' 마담의 기둥서방이 왔네.' 하며 수군거렸다.

코마로프스키는 잭이라는 이름의 불도그 한 마리를 데리고 다녔는데, 사람들은 그 개를 싫어했다. 어느 해 봄에는 잭이 라라에게 달려들어 다리를 물어뜯은 적도 있었다.

"언젠가 저놈을 죽여 버릴 거야."

올리아가 말했다.

"어떻게?"

"너희 어머니 장롱에 부활절 때 쓰는 돌로 만든 달걀이 있잖아."

"그래, 대리석으로 만든 것도 있고, 유리로 만든 것도 있어."

"그 달걀을 돼지기름에 담그는 거야. 그럼, 그놈이 먹이로 알고 꿀꺽 삼키겠지. 그러면 목구멍에 걸려 죽는 거지."

라라는 배를 움켜잡고 웃었다. 라라는 가난하지만 제힘으로 살아가는 올리아를 좋아했다. 그러면서 생각했다.

'왜 내 인생은 슬퍼만 보일까?'

라라는 이제 열여섯 살이 되었다. 하지만 몸매에서는 성숙한 여인의 분위기가 났으며, 성격도 차분하고 느긋했다. 라라와 로디온 남매는 자기들의 인생이 탄탄대로가 아니라는 것을 알았다.

라라는 학교에서의 성적이 좋았지만 그건 지식에 대한 열정이 아니라 장학금을 타기 위한 노력이었다. 라라는 어머니 심부름도 잘 했으며, 날

씬한 몸매와 상냥한 목소리, 갈색 눈동자와 윤기가 흐르는 머리카락이 인상적이었다.

그 날은 코마로프스키 친구의 딸인 올가의 생일이었다. 어른들은 샴페인 파티를 열어 이 날을 축하하기로 했다. 코마로프스키는 라라의 어머니를 초대했지만, 몸이 편치 않아 대신 라라를 보냈다.

왈츠는 인간의 이성을 빼앗는 힘을 가지고 있다. 그것은 아무 생각도 할 수 없게 만들고, 그저 빙빙 돌게만 한다. 음악이 연주되는 동안, 저마다 소설 속의 주인공이 된 것 같았다.

라라는 코마로프스키가 그렇게 춤을 잘 추리라고는 생각하지 못했다. 그는 정말 멋진 춤 솜씨를 가졌다. 자연스럽게 라라의 허리를 안은 코마로프스키의 차분한 손길에 라라는 그만 넋을 잃고, 입술을 허락하고 말았다. 그러나 곧 후회하고, 다시는 이런 어리석은 행동을 하지 않겠다고 결심했다.

'그 날 일에 대해서는 잊어버려야 해. 춤은 악의 근원이야. 누가 앞으로 춤을 추자고 말하면 전혀 못 춘다고 하거나 발목을 삐었다고 해야지.'

그 해 가을, 모스크바의 철도 노동자들 사이에는 심상치 않은 기운이 감돌았다. 철도 노동자들은 곧 파업에 들어갔다. 10월 초순의 쌀쌀하고 흐린 아침, 그 날은 바로 노동자들이 임금을 타는 날이었다.

사람들은 임금을 타기 위해 길게 줄을 섰다. 공터를 가로질러 작업장, 창고, 철로를 지나 관리사무소 건물까지 줄이 이어졌다. 철도 기사 푸를르이긴과 선로 감독관인 안티포프는 선로를 따라 걸었다.

안티포프는 선로를 보수하는 부속품의 질이 떨어져 한겨울에 철도에 금이 가서 터질 거라고 했다. 하지만 관리부에서는 전혀 그의 의견을 들으려 하지 않았다.

누군가 질 나쁜 부속품을 납품하고, 그 부당 이득을 챙기고 있는 것이 분명했다. 하지만 푸룰르이긴은 안티포프의 말을 건성으로 들었다. 그는 다른 생각에 빠져 있었다. 급한 일이 있는지 자꾸만 시계를 들여다보았다.

"여보게, 자네 말에도 일리가 있어. 하지만 그 부속을 쓰는 곳은 본선이 아닌 대피선과 종단선이야. 그러니 염려하지 않아도 된다고. 뭐가 그렇게 불만이 많은가?"

그 때 철도 쪽으로 난 길에서 마차 한 대가 달려왔다. 프를르이긴의 마차였다. 그의 아내가 그를 데리러 온 것이다.

그는 아내가 오자 마차를 타며,

"여보게, 나중에 보세. 내겐 철도보다 더 중요한 일이 있네."

하고 말하고는 떠나 버렸다.

몇 시간 후 황혼이 깃들 무렵, 철길에서 좀 떨어진 들판에 안티포프와 티베르진이 나타났다.

"좀더 빨리 걷게."

티베르진이 재촉했다.

"경찰에 잡히는 것이 두려워서 그러는 게 아니야. 파업위원회가 회의를 끝내고 우리를 따라오는 것이 싫어서 그래. 그놈들의 얼굴은 보기도 싫어. 그렇게 결단을 내리지 못하는 위원회가 왜 필요하단 말인가? 자넨, 또 어째서 그런 놈들의 편을 드는 거야?"

"아내가 티푸스에 걸렸어. 지금으로선 다른 아무것도 생각할 겨를이 없어."

"오늘이 임금을 지불하는 날이지? 난 사무실에 가 보겠네. 임금을 안 주면 결판을 내고 말 거야. 이젠 더 이상 기다릴 수가 없다고."

"그래, 어떻게 결판을 낼 건데?"

"그거야 간단하지. 보일러실로 가서 경적을 울리면 되지."

두 사람은 가볍게 인사를 하고 헤어졌다.

티베르진은 사무실에서 임금을 받고 나오는 사람들을 만났다.

주위에 어둠이 깔리자 사무실에 불이 켜졌다. 광장에는 한가한 노동자들이 모여 있었다.

광장 한쪽에 푸틀르이긴의 마차가 있었는데, 안에는 부인이 앉아 있었다. 임금을 타러 간 남편을 기다리는 모양이었다. 티베르진은 우연히 그녀를 보자 구역질이 났다. 티베르진은 그녀에게 인사도 하지 않고 지나쳤다. 그리고 사무소에서 푸틀르이긴을 만날까 봐 임금을 나중에 받기로 했다. 티베르진은 곧장 작업장으로 향했다.

"티베르진!"

어둠 속에서 누군가가 자기를 부르는 소리가 들렸다. 작업장 안에서는 어린아이의 울음소리와 고함 소리가 들렸다.

"어서 좀 안으로 들어가 아이를 구해 주세요. 저대로 두었다가는 아이가 죽고 말 거예요."

늙은 직공장 후돌레예프가 유수프카를 무지막지하게 때리고 있었다.

후돌레예프는 원래 직공을 괴롭히거나, 술에 취해 아무나 붙잡고 싸움질을 하는 못된 사내는 아니었다. 젊었을 때 그는 멋진 직공으로 근교 공장 지대에서 꽤 인기가 좋았다. 그러나 수도원 학교를 졸업한 마르파가 이 남자의 청혼을 뿌리치고, 티베르진의 아버지인 기관사 사벨리니키티치와 결혼을 했다.

사벨리니키티치는 후돌레예프와 친한 사이였다. 사벨리니키티치가 열차 사고로 죽고 마르파가 과부가 된 지 5년 후에, 후돌레예프는 다시 그녀에게 청혼을 했다. 그러나 그 때에도 그는 거절을 당하고 말았다.

그 후 이 남자는 술과 싸움으로 자기 인생을 망치기 시작했다.

매를 맞는 유수프카는 티베르진이 살고 있는 공동 셋집에 수위로 있는 기마제트진의 아들이었다. 티베르진은 작업장에서 소년을 보호해 주었는데, 그것이 더욱 후돌레예프의 미움을 사게 했다.

"줄칼을 잡은 꼴이 그게 뭐야? 이 망할 놈의 새끼야!"

후돌레예프는 유수프카의 머리털을 잡고 목덜미를 주먹으로 쥐어박으며 호통을 쳤다.

"이제 다시는 안 그럴게요. 한 번만 용서해 주세요."

그 때 사람들을 밀치고 티베르진이 큰 소리로 말했다.

"아니, 어린애가 뭘 잘못했다고 야단이오?"

"쓸데없는 참견 마!"

"왜 어린애를 못살게 구는지, 그 이유나 압시다."

"이 썩어빠진 사회주의자! 당장 내 눈앞에서 꺼져. 이런 놈은 죽여 버려도 시원찮아."

"그래요? 머리는 하얘가지고, 아직도 철이 덜 들었군요."

"네가 나에게 충고할 참이냐? 이 더러운 놈아. 네 어미는 아무나하고 눈이 맞는 암코양이 같은 여자야!"

그 다음 단계는 뻔했다.

두 사람이 엉켜붙어 싸우기 시작했다. 주변에 있던 사람들이 말리지 않았다면 아마도 살인이 벌어졌을 것이다. 얼마 동안 이들은 온몸을 비틀어 대며 사람들의 손아귀에서 빠져 나오려고 몸부림쳤고, 그러는 통에 옷은 다 찢어졌다.

그 때 갑자기 티베르진이 자기에게 매달렸던 사람들을 무서운 기세로 밀쳐 내고 황급히 문을 빠져 나갔다. 티베르진은 요란하게 문을 닫고는 뒤도 돌아보지 않고 걸어나가 버렸다. 허위와 기만에 찬 비열한 세상,

살찐 귀부인이 거드름을 피우며 노동자를 무시하는 세상, 노동자들끼리 서로 학대하는 이런 세상이 싫었다.

티베르진과 안티포프가 함께 지하의 비밀 집회에서 나온 후 파업위원회는 그 날부터 파업을 결정했다. 그리고 위원회는 그 자리에서 위원들을 파견할 곳과 소집해 올 사람, 그리고 어디에서 파업을 할지 등을 상의했다. 티베르진은 위원회가 그렇게 빨리 결정을 내리리라고는 생각하지 못했다.

티베르진이 기관차 수리장의 사이렌을 울렸을 때, 이미 사람들은 역이나 하치장에서 시내 쪽으로 떼지어 나오기 시작했다. 사이렌 소리는 그의 영혼 속에서 터져 나오듯이 날카롭게 밤공기를 찢었다. 이윽고 티베르진의 신호에 따라 기관실 사람들도 군중 속으로 합류했다.

테베르진은 그날 밤 철도선의 작업과 교통을 멈추게 한 사람이 자기였다고 몇 해 동안이나 생각했다. 그는 세월이 지나서야 자기의 죄목이 파업 선동이 아닌, 파업에 연루된 죄목이었다는 것을 알았다.

티베르진은 이틀 후 집으로 돌아왔다. 현관에서 수위 기카제트진이 맞아 주었다.

"티베르진 나리, 정말 고맙습니다. 나리 덕택에 유수프카가 살았습니다. 나리를 위해 하느님께 기도하겠습니다."

"나리라니요? 원 별 말씀을. 할 말이 있으면 빨리 하세요. 얼어 죽겠습니다."

"다름이 아니라 어서 피하라고요. 아까 경찰이 찾아왔었습니다."

"네, 고맙습니다."

티베르진은 어머니와 결혼한 남동생 가족과 함께 살았다. 이들이 사는 공동 주택은 교회 소유였고, 이 주택에는 많은 노동자들이 살고 있었다. 티베르진의 동생은 전쟁에 징집되었는데, 부상을 당해 육군 병원에서 치료를 받고 있었다.

동생의 아내와 두 딸이 동생을 집으로 데려오려고 떠났다. 티베르진 집안은 대대로 철도청에서 근무했기 때문에, 무료 승차권을 받아 전국을 여행할 수 있었다. 티베르진과 어머니만 있는 집 안은 텅 비어 사람이 살지 않는 것처럼 조용했다. 티베르진은 그 집의 2층에 살고 있었다.

문 입구에 큰 물통이 놓여 있었다.

'프로프가 왔다 갔군.'

티베르진은 물통의 뚜껑이 반쯤 열려 있고, 얼어붙은 물통 위에 놓여 있는 컵을 보자 프로프가 다녀갔다고 확신했다. 교회의 성가대원으로 활동하는 프로프는 어머니의 먼 친척이었다.

티베르진은 초인종을 눌렀다. 어머니가 나와 그를 끌어안고 울음을 터뜨렸다. 티베르진은 어머니를 위로하며 말했다.

"어머니, 무슨 일이든 결단성이 있어야 해요. 모스크바에서 바르샤바까지 모든 노선이 파업을 했어요."

"나도 알고 있어. 하지만 경찰에서 널 찾고 있단다. 어서 피해야 해."

"안티포프가 체포되었어요. 그가 이번 파업을 주도했으니까요. 게다가 그의 아내는 티푸스에 걸려 있어요. 중학교에 다니는 아들 파샤는 귀머거리 고모와 단둘이 살고 있는데, 모두 집에서 쫓겨날 처지가 되었대요. 그래서 파샤를 우리 집으로 데리고 오면 좋겠어요. 어머니 생각은 어떠세요?"

"나도 그 생각에 찬성이다. 좋을 대로 하려무나."

"고마워요, 어머니. 그런데 프로프가 여긴 왜 왔죠?"

"장작을 구하러 왔단다. 애고, 내 정신 좀 봐라. 프로프가 전한 소식을 깜빡하다니. 황제가 칙서에 서명했다는구나. 이제 세상이 달라질 거라고 하더라. 누구나 인간 대접을 받게 된단다. 농민들은 토지를 받고 귀족과 대등하게 된다는 거야. 벌써 서명을 했고, 이제 공포만 남았단다."

파샤는 아버지가 구속되고, 어머니가 병원에 있어 티베르진 집에 와서 살게 되었다. 그는 단정하고 깔끔한 소년이었다. 유머 감각이 있고 관찰력이 뛰어나서, 보고 듣는 것은 무엇이든 흉내를 잘 냈다.

10월 17일에 칙서가 공포되고 난 뒤, 몇 개의 혁명 단체에서 대대적인 시위 행진을 계획했다.

그러나 의견들이 분분해 일치를 이루지 못했다.

그러다가 시위를 계획한 날 아침에 수없이 많은 군중이 거리로 쏟아져 나오자 황급히 자기들의 대표를 보내 시위 행진을 지휘하도록 했다.

티베르진의 반대에도 불구하고 어머니는 시위에 가담했다. 파샤도 함께 나갔다. 11월 초순의 쌀쌀한 날이었다. 잔뜩 찌푸린 하늘에서 눈발이 흩날렸다. 거리마다 물밀 듯이 군중이 쏟아져 나왔다.

기병대가 달려들었다는 사실을 시위 행렬 뒤쪽에 있던 사람들은 전혀 알 수 없었다. 갑자기 아우성 소리가 들렸지만, 도대체 알아들을 수 없는 소리였다. 이 때 기병들이 쏜살같이 달려들어 사람들을 잔인하게 때리기 시작했다. 사람들은 제각기 흩어져 골목으로 도망쳤다.

머리가 깨진 사나이 하나가 신음 소리를 내며 기어가고 있었다. 티베르진의 어머니가 정신 나간 사람처럼 큰 소리로 파샤를 불렀다. 파샤는 계속 그녀와 함께 있었는데, 기병대가 달려드는 바람에 갑자기 자취를 감추어 버렸다. 그녀도 기병의 채찍에 잔등을 세차게 얻어맞았다. 하지만 두터운 솜옷을 입고 있어 크게 다치지는 않았다.

다행히도 파샤는 길 건너편에 있었다. 파샤는 티베르진의 어머니를 보자 그녀에게로 뛰어왔다.

집으로 돌아가면서 그녀는 쉴새없이 욕을 했다.

"저주받을 놈들! 황제께서 자유를 주셔서 백성들이 기뻐하는데, 그놈들은 그게 못마땅한 거야. 모든 걸 되돌리고 싶어서 저렇게 날뛰는 거라고."

니콜라이 니콜라예비치는 창가에 서서 시위대가 도망가는 것을 바라보았다. 그는 시위대 속에 유리와 다른 아는 사람이 있는지 찾아보았다. 다행히 아는 얼굴은 보이지 않았다.

니콜라이는 그 해 가을에 상트페테르부르크에서 모스크바로 왔다. 그는 호텔에 묵는 것이 싫어서 스벤티스키의 집에 머물렀다. 그는 이층 서재를 빌려쓰고 있었다. 서재에는 창문이 네 개나 있었지만, 방 안은 늘 어둠침침했다.

니콜라이는 멍하니 먼 곳을 보면서 페트르스부르크에서 보낸 지난 겨울을 회상했다. 가폰, 고리키, 비테 수상과 그가 만났던 작가들의 얼굴이 떠올랐다. 그는 구상 중인 책을 쓰려고 번잡스런 곳을 떠나온 것이다. 그러나 그 기대는 어긋나 날마다 강연을 나가야 했다.

니콜라이는 볼가 강변의 시골에서 상트페테르부르크로 옮기면서 유리를 친척들이 있는 모스크바로 데리고 왔다. 처음에는 유리를 친척들 사이에서 페디카로 불리는 게으르고 수다스런 사람 집에 맡겼다. 페디카는 자기가 보살펴 주는 모티아라는 어린 양녀와 함께 살았다. 하지만 페티카는 유리의 양육비를 모두 써 버렸다. 그래서 유리는 그로메코 교수 집으로 옮겨가 지금까지 그 곳에서 살고 있었다.

그로메코 교수 집의 분위기는 아주 좋았다. 그 집에는 유리와 나이가 비슷한 여자아이인 토냐와, 유리와 동급생인 미샤가 살고 있었다.

니콜라이는 이 아이들을 삼총사라고 불렀다. 아이들은 순진하면서도 괴상했다. 그들은 관능적인 세계를 멸시했으며, 육체에 관계되는 것은 무엇이든 저속하다고 규정했다. 니콜라이는 생각에 잠겼다.

"세상을 살아가려면 절제가 필요하지. 하지만 그것도 한계가 있는 법이야……."

페트로프카 거리는 마치 상트페테르부르크의 한 모퉁이를 그대로 옮겨 놓은 것 같았다. 길 양쪽에 늘어선 집들, 우아하게 장식된 집들의 입구, 도서관, 책방……. 모두가 그런 인상을 주었다.

이 거리에는 자존심이 강하고 점잖으며, 수입이 높은 자유 직업을 가진 사람들이 많이 살고 있었다.

코마로프스키는 호화로운 2층 집을 세내어 혼자 살고 있었다. 가정부인 엠마는 빈틈없이 집안일을 꾸려 나갔으며, 주인의 사생활은 일절 간섭하지 않았다. 그 집은 마치 수도원처럼 고요했다.

날씨가 차츰 풀리면서 얼음이 녹고 있었다. 봄이 가까이 온 것이다. 라라는 넋을 잃은 사람처럼 정신 없이 집으로 왔다. 집에 도착하고 나서야 비로소 자기에게 무슨 일이 일어났는지 깨달았다. 식구들은 모두 잠들어 있었다. 라라는 허탈한 기분에 사로잡혀 어머니의 화장대 앞에 앉아 거울에 비친 자신의 얼굴을 보았다. 눈동자는 초점을 잃었다.

'만약 어머니가 이 사실을 안다면 아마 나를 죽일 거야. 그리고 자살할지 몰라. 어쩌다 이런 일이 벌어졌을까? 아아, 난 이제 어떻게 될까? 난 타락한 여자가 되었어. 오, 하느님! 어떻게 저에게 이런 일이 일어날 수 있습니까?'

한편, 코마로프스키는 초조한 듯 서랍을 여닫으며 물건들을 소파 위에 내던졌다. 그러나 자기가 무엇을 찾고 있는지 알지 못했다. 지금 그에게 무엇보다 필요한 것은 라라였다.

'이게 대체 무슨 일인가. 도대체 어떻게 된 걸까?'

그의 머릿속에서는 라라가 한시도 떠나지 않았다. 그는 가슴을 죄어오는 이 불안한 기분에서 벗어나야 한다고 생각했다. 죽은 친구의 딸이자 아직 어린 소녀에게 넋이 빠져 버린 자신이 한없이 우스꽝스럽게 생각되었다.

머리가 희끗희끗해진 아버지 나이의 멋쟁이 남자. 집회에서 박수를 받기도 하고, 신문에 나올 정도로 유명한 남자가 자신을 음악회나 극장에 데리고 가기도 하고, 그녀의 지적인 욕구를 채워 주겠다고 하자 라라는 그만 혼란스러워지고 말았다.

하지만 그녀는 아직도 학교에서 친구들과 장난을 치는 순진하고 장난기 어린 소녀였다. 이런 불장난은 오래 가서는 안 되었다. 절망과 공포가 라라를 덮쳐 와 라라는 밤마다 잠을 이루지 못했다.

그럴수록 라라는 불안을 이겨 내려고 더 열심히 공부했다.

라라는 코마로프스키를 저주했다. 지금 그에게서 벗어나지 못한다면 한평생 그의 노예가 될 것 같았다. 자기는 왜 그에게 몸을 허락했을까? 대체 자기를 사로잡은 것은 무엇이었을까?

'만약 결혼을 하면 달라지는 것이 있을까?'

라라는 자신에게 물어 보았다.

'만약 달라진다면 어떻게 달라질까?'

코마로프스키는 부끄러움도 잊은 채 어린 라라의 발 아래 엎드려 몸부림쳤다.

"더 이상 이렇게 지낼 수는 없어. 나와 너 사이가 어떻게 되었는지 생각해 봐. 어머니께 모든 걸 말씀드리고 나랑 결혼하자."

그러나 그것은 모두 말뿐이었다.

어느 날, 라라는 꿈을 꾸었다. 그녀가 땅 속에 파묻히는 꿈이었다. 신앙심이 깊은 라라는 12월 초순의 어느 날, 우울한 마음으로 교회에 기도하러 갔다. 수다쟁이 올리아와 함께였다.

"저기 프로프 아파나시예비치가 있어."

"그 사람이 누군데?"

"저기 찬송가를 부르는 사람 말야."

"아, 저 성가대원 말이구나. 자, 이제 좀 잠자코 있어 줘."

미사가 막 시작되었다. 사람들은 성가를 불렀다. 그런 다음 프로프가 산상수훈을 줄줄 외었다.

"축복받을지어다, 마음이 가난한 자여……. 축복받을지어다, 슬피 우는 자여……. 축복받을지어다, 의에 굶주리고 목마른 자여……."

라라는 그 말에 흠칫 몸을 떨었다. 그 말은 바로 자기 자신을 향한 구절이었다.

'예수님은 말하고 있어. 짓밟힌 자에게도 행복은 있다고. 그래, 나의 미래도 어둡지만은 않을 거야.'

프레스냐에서 데모가 있을 때였다. 기샤르의 집은 반란 지역이었다. 집에서 몇 걸음 안 되는 트베르스카야 거리에는 바리케이드가 쳐져 있었다.

노동자들은 돌과 쓰레기를 얼려 얼음벽을 만들었다. 이웃집 뜰은 노동자들의 집합소가 되었다.

그 곳은 구호소나 이동 급식소 같은 곳이었다. 라라는 그 집합소에 모인 남자아이들 중에서 두 명밖에 몰랐다.

나디아의 남자 친구 니카는 자부심이 강하며 말수가 적고 직선적인 성격이었다. 또 다른 한 명은 파샤 안티포프였다. 그는 올리아 네미나의 할머니인 테베르지나 집에서 살고 있었다. 라라는 그 할머니 댁에서 파샤를 만났을 때, 파샤가 자기를 좋아한다는 사실을 알았다. 라라는 파샤의 마음을 완전히 사로잡았다. 파샤는 그녀를 위해서라면 죽을 수도 있을 정도였다.

니카와 파샤는 데모에 참가하고 있었다. 데모에 참가하는 것은 교수형을 당할 위험성이 있었다. 라라는 어른스럽게 두 아이를 바라보았다. 라라는 이 아이들이 착하고 훌륭하기 때문에 총을 들었다고 생각했다.

사람들은 뒤늦게야 바리케이드가 폭격을 받으면, 자신들의 집이 위험해진다는 사실을 알았다. 그래서 모스크바에 사는 아는 사람들을 찾아가 신세를 지려고 했지만, 때는 이미 늦었다. 이 지역은 벌써 포위되었다. 그래서 가까운 피난처를 찾아야 했다. 그들은 몬테네그로 호텔을 떠올렸다. 하지만 많은 사람들이 이미 그 곳으로 갔고, 호텔은 이미 만원이었다.

양장점의 직원들은 한집 식구나 다름없이 지내며 총파업을 한 뒤에도 계속 일을 하고 있었다. 그러던 어느 날, 누군가가 찾아와 파업에 참가하라고 했다. 페티소바라는 종업원이 직공들에게 무슨 말인가를 전하자, 직공들은 서둘러 옷을 입기 시작했다.

"아니, 도대체 왜들 그래?"

라라의 어머니인 기샤르 부인이 말했다.

"우리도 파업에 동참해야 한다고 해서요."

"무슨 소리야. 내가 너희들에게 무슨 잘못을 했다고 파업이야?"

"너무 섭섭해하지 마세요. 불만이 있어서 그러는 게 아니에요. 오히려 저희는 사장님께 고마워하고 있어요. 그렇지만 이건 개인적인 문제가 아니에요. 온 세상 사람들이 함께 하는 일에 저희만 빠질 수는 없잖아요."

그리고는 한 사람도 남지 않고 모두 나가 버렸다. 올리아와 페티소바까지도. 라라는 어머니에게 진정하라고 말했지만, 기샤르 부인은 분한 마음을 참을 수가 없었다.

"저 사람들은 악의가 있어서 그러는 게 아니에요. 오히려 그 반대일 거예요. 약자를 보호하고 여자들을 위해서 하는 파업이니까요. 그 덕분에 우리도 언젠가는 잘 살 수 있을 거라고요."

그러나 기샤르 부인은 고개를 흔들며 말했다.

"넌 언제나 내 속을 뒤집어 놓는 소리만 하지."

"호텔로 가요, 엄마."

두 사람은 거리로 나왔다. 멀리서 총소리가 났다.

그로메코 형제의 집은 시브세프 브라조크 거리와 또 다른 조그만 거리가 엇갈리는 모퉁이에 있었다. 알렉산드로 그로메코, 니콜라이 알렉산드로비치 그로메코는 모두 화학 교수다. 니콜라이는 아직 미혼이었지만, 알렉산드로에게는 안나라는 부인이 있었다.

그로메코의 집은 이층집이었다. 2층은 자기 집 식구들이 사용했고, 1층은 손님 접대를 위해 사용했다. 그로메코 집안 사람들은 모두 교양있고 친절했다. 또한 음악에 대해서도 전문가 못지않은 지식을 갖고 있었다. 그들은 자주 이 곳에서 음악회를 열었다.

1906년 1월에는 니콜라이가 해외 여행을 떠나기로 되어 있었는데, 그 전날, 실내악 연주회를 개최할 예정이었다. 사람들은 음악회를 위해 하루 전부터 분주했다. 피아노 조율사가 와서 조율을 하고, 부엌에서는 음식 준비를 하느라 정신이 없었다.

약속 시간이 되자, 손님들이 속속 도착했다. 이 집에 처음으로 초대된 신인 피아니스트가 도착하자, 사람들이 큐이(러시아의 음악가)의 조카라고 하며 소곤거렸다.

연주자가 피아노 앞에 앉자, 사람들은 소곤거림을 멈추고 연주에 몰두했다. 휴식 시간에 사람들은 그의 피아노 실력을 평했다. 휴식 시간이 지나자 다시 연주가 시작되었다.

유리와 토냐, 그리고 그로메코 댁에서 거의 살다시피 하는 미샤 고르돈은 셋째 줄에 앉아 있었다.

"티슈케비치의 하녀 예고로브나가 부르는데요."

유리가 바로 자기 옆에 있는 그로메코 교수에게 속삭였다. 하녀인 예고로브나는 급히 주인을 만나야 한다는 표정을 지었다.

"대체 무슨 일이야? 왜 이리 야단이지?"

"호텔에서 티슈케비치 님을 급히 모셔 오래요. 친척 되시는 분이 위급하대요."

"지금은 연주 중이니까 잠시만 기다려. 끝나면 전하지."

"지금 호텔에서 사람이 와서 기다려요. 거의 죽어 간대요."

하지만 그로메코 교수는 연주가 끝난 후에야 연주석으로 가서, 사람들에게 큰 소리로 말했다.

"첼로 연주자인 티슈케비치 씨에게 급한 연락이 와서 돌아가셔야 합니다. 아무래도 그를 혼자 보내서는 안 될 것 같아, 제가 같이 가려고 합니다. 곧 돌아올 테니 기다려 주십시오."

유리와 미샤는 마차를 타고 추운 밤길을 달려보고 싶어 그로메코 교수와 함께 가겠다고 졸랐다.

12월이 지나면서 폭풍의 거리는 평온해졌다. 하지만 어디선가 간간이 총성이 들렸다.

23호실의 사건은 호텔에서 자주 일어나는 작은 소동이었다. 23호실에서는 의사가 기샤르 부인에게 구토제를 먹이고, 위 세척을 하고 있었다. 호텔 하녀가 방바닥을 닦고, 오물통을 들어 내고, 다시 깨끗한 물을 퍼서 들여가는 등 부산했다.

미샤와 유리는 기샤르 부인의 방 앞 복도에서 서성댔다. 그로메코 교수는 당황했다. 음악가의 생활은 뭔가 고상하다고 생각했는데 실제로는 천박했다. 그는 아이들을 이런 곳으로 데리고 온 것을 후회했다.

"어서 방으로 들어가서 부인을 뵙도록 해요. 염려하실 것 없습니다. 부인은 이제 괜찮으니까요. 여기 이렇게 서 계시면 곤란합니다."

두 소년은 방 안으로 들어갔다. 하녀가 방바닥을 닦고 있었다. 침대 위에는 옷을 반쯤 벗은 여자가 누워 있었다. 그녀는 구토를 하며 계속 울고 있었다. 미샤와 유리는 그 부인을 바라보는 게 실례인 것 같아 고개를 돌렸다. 누군가가 칸막이 저쪽에서 휘장을 드리웠다.

"티슈케비치 씨, 내 손을 좀 잡아 주세요. 정말이지 전 견딜 수가 없었어요. 하지만 그건 어리석은 생각이었어요. 아, 이렇게 내가 죽지 않은 게 얼마나 다행인지 모르겠어요."

"진정하십시오, 부인. 이게 다 무슨 일입니까?"

그로메코 교수는 미샤와 유리에게 언짢은 표정을 지으며 돌아가자고 했다. 그들은 당황해하면서 어두운 문 입구에 서서 방 한구석을 바라보았다.

식탁 건너편 안락 의자에 한 소녀가 잠들어 있었다. 이런 소란 가운데서도 잠을 자는 걸 보면, 꽤나 지쳐 있었던 모양이다.

"자, 이제 돌아가자. 여기에 온 것이 실수였어."

그로메코 교수가 다시 말했다.

"티슈케비치가 나오면 인사를 하고 바로 가자."

그 때 누군가 칸막이 뒤에서 나왔다. 그는 첼로 연주자 티슈케비치가 아니라 체구가 당당하고 깨끗하게 면도를 한 남자였다. 그가 등불을 들고 소녀가 잠들어 있는 탁자로 가자, 그 불빛에 소녀가 잠을 깼다. 그녀는 남자에게 미소를 지어 보이고는 기지개를 켰다. 소녀와 사나이는 아무 말도 하지 않고 시선만 주고받았다.

유리는 두 사람을 물끄러미 바라보며, 등잔 불빛이 환하게 비친 그곳을 응시했다. 소녀와 사나이의 행동은 마치 수수께끼처럼 여겨졌다. 유리는 한 번도 경험해 보지 못한 미묘한 감정 때문에 가슴이 답답해왔다. 유리와 미샤, 토냐가 천박하다고 생각했던 것이 바로 이것이었다. 유리는 어찌할 바를 몰랐다.

"유리, 아까 그 남자가 누군지 아니?"

거리로 나오자마자 미샤가 물었다. 그러나 유리는 아무 대답도 하지 않았다.

"그 자가 바로 너희 아버지를 술독에 빠지게 해서 파멸시킨 바로 그 사람이야. 언젠가 이야기한 적이 있지? 네 아버지와 기차를 같이 탔던 그 변호사 말야."

하지만 유리는 미샤의 이야기를 듣고 있지 않았다. 그는 단지 그 소녀에게는 어떤 미래가 펼쳐질까 궁금할 따름이었다.

스벤티스키 댁의 크리스마스 파티

어느 해 겨울, 그로메코 교수는 안나 부인에게 고풍스런 옷장 하나를 선물로 사 주었다. 검은색 향나무로 만든 굉장히 큰 옷장이었는데 그대로 방 안으로 들여 놓을 수가 없어서 하인 마르켈이 옷장을 조립해야만 했다.

처음 얼마 동안은 일이 순조롭게 진행되었다. 일이 거의 끝나갈 무렵,

안나 부인이 마르켈을 도와주려고 나서다가 묶어 두었던 줄이 풀리면서 옷장이 그만 와르르 무너졌다. 그 바람에 안나 부인은 심하게 다쳤다.

안나 부인은 이 옷장을 싫어했다. 크기나 모양이 마치 관 같아서 죽음을 연상시킨다고 했다.

아무튼 이 사건 이후, 안나 부인은 심한 폐렴 증세를 보이기 시작했다. 1911년 11월 한 달 동안, 안나 부인은 내내 자리에 누워 있었다.

유리와 미샤 그리고 토냐는 이듬해 봄에 대학을 졸업할 예정이었다. 유리는 의학을, 토냐는 법학을, 미샤는 철학부에서 언어학을 전공했다.

유리는 감수성이 예민하고 상상력이 뛰어나서 예술과 역사를 좋아했지만, 예술이 직업이 될 수는 없다고 생각했다. 물리학과 자연과학에도 관심이 많았던 유리는 사람들에게 도움을 줄 수 있다는 이유로 의학을 선택했다.

그는 첫 학기 동안 해부실에서 살다시피 했다. 해부실에는 신원을 알 수 없는 젊은 자살자, 익사자들의 시체가 있었다. 유리는 시체를 보면서 삶과 죽음의 신비를 느꼈다.

유리는 니콜라이 삼촌의 영향으로 글도 잘 썼다. 니콜라이는 로잔에 있으면서 책 몇 권을 출판하였다. 그는 예수에 대한 새로운 해석을 내놓았고, 그 견해는 새로운 예술관을 탄생시켰다.

니콜라이의 사상은 유리보다는 미샤에게 더 큰 영향을 주었다. 미샤가 철학을 공부하게 된 것도 니콜라이 때문이다. 미샤는 신학 강의도 열심히 들었다. 미샤가 그토록 철학과 신학에 열중하게 된 것은 유대인이라는 출신 때문이었다. 하지만 유리는 미샤가 현실주의자가 되길 바랐다.

11월 어느날, 유리는 학교에서 늦게 집으로 돌아왔다. 그는 아무것도 먹지 못해 지쳐 있었다. 낮에 안나 부인이 경련을 일으켰다는 소식을 듣고, 곧바로 안나 부인의 침실로 찾아갔다. 부인은 땀으로 젖어 있었고, 형편없이 수척해져 있었다.

'혹시 진단이 잘못된 것은 아닐까? 내가 보기에 폐렴이 분명한데…….
몹시 위독한 것 같군.'

유리는 안나 부인의 맥을 짚어 보고 청진기를 꺼내려고 했다. 그러자 안나 부인은 소용 없다는 듯이 고개를 저었다. 부인은 무언가 할 말이 있는 것 같았다.

"유리, 난 금방이라도 죽을 것 같아. 난 지금 몹시 슬프고 두렵단다."

부인은 말을 멈추더니 눈물을 흘렸다. 유리는 부인의 이마를 짚어 보며 말했다.

"내일이면 병세가 좋아질 거예요."

얼마 후 부인은 지친 듯 잠이 들었고, 유리는 조용히 그 방을 빠져 나왔다.

안나 부인의 병세는 갈수록 좋아졌다. 12월 중순에는 자리를 털고 일어나려고 했지만, 의사의 만류로 그냥 누워 지냈다. 그녀는 가끔 유리와 토냐를 불러 자신의 어린 시절 이야기를 해 주었다.

유리와 토냐는 최근에 처음으로 파티복을 갖게 되었다. 스벤티스키 댁에서 열리는 크리스마스 파티에 입고 갈 옷이었다.

파티복이 도착했을 때 유리와 토냐는 그 옷을 입고 안나 부인의 방으로 갔다. 안나 부인은 두 사람의 모습을 보고 입을 다물지 못했다.

"아주 잘 어울리는구나. 너무 멋져! 내가 왜 너희들을 불렀는지 아니?
우선 유리야, 너에게 할 말이 있단다."

"무슨 말씀을 하실지 알아요. 아버지 유산 상속 소송을 하라는 거죠?
하지만 하지 않을래요. 아버지 재산은 제가 보기에 소송비를 내고 나면 한 푼도 남지 않을 거예요. 아버지 유산을 노리는 사람들이나 가지라죠. 이복동생 예브그라프가 상속받아도 상관 없고요. 전 그냥 유산을 포기하고 살래요."

"안 돼. 포기해서는 안 돼. 그건 그렇고, 너희들이 파티에 가는 것을 망설이고 있다면서? 그런 바보 같은 생각은 하지 말아라. 유리, 넌 의사가 아니니? 꼭 파티에 참석해야 한다."

안나 부인은 다시 기침을 시작했다. 그리고는 두 사람의 손을 가지런히 포개게 한 뒤, 한참 동안 가만히 있었다. 부인은 거친 숨을 가다듬으며 이렇게 말했다.

"내가 죽은 후에도 너희들은 절대 헤어지면 안 돼. 나는 너희 두 사람이 결혼을 했으면 좋겠구나."

이렇게 말하고 나서 안나 부인은 울음을 터뜨렸다.

여학교를 졸업하기 전인 1906년 봄, 라라는 코마로프스키와의 6개월 동안의 관계로 참을 수 없는 상황에까지 이르렀다. 라라는 괴로워서 견딜 수가 없었다. 그래서 이런 생활을 그만두기로 결심했다.

폭풍이 곧 닥쳐올 것 같은 무더운 오전, 역사 선생은 나폴레옹의 이집트 원정에 대한 강의를 했다. 라라는 공책 한 장을 찢어 옆자리에 앉은 나디아에게 편지를 썼다.

"나디아, 나는 어머니와 헤어져 살아야겠어. 가능하면 월급이 많은 가정교사 자리를 구해 혼자 살고 싶어? 너는 부잣집을 많이 알고 있으니까 좀 알아봐 줘."

얼마 뒤 나디아로부터 답장이 왔다.

자신의 동생인 리파의 가정교사로 와 달라는 내용이었다.

이렇게 해서 라라는 3년 동안 나디아의 집에서 살게 되었다. 나디아의 아버지 콜로그리보프는 진보적인 실업가로 지적인 인물이었다. 그는 정치범들을 자기 집에 숨겨 주었고, 그들을 위해 변호사를 구해 주기도 했으며, 혁명 운동에 자금을 지원하기도 했다. 나디아의 어머니도 친절한 사람이었다.

라라는 나디아의 부모를 진심으로 존경했다. 그들은 라라를 한집 식구처럼 대해 주었다. 이렇게 걱정 없이 3년이란 세월을 보냈다.

그러던 어느 날, 오빠 로디온이 라라를 찾아왔다. 그는 사관학교 동기생들이 졸업 기념으로 교장 선생님에게 선물을 하려고 모은 돈을 도박판에서 몽땅 날려 버렸다고 했다.

"어젯밤 코마로프스키를 찾아갔어. 돈을 꾸어 달라는 내 부탁을 거절하더군. 그런데 네가 와서 부탁을 하면 들어주겠다는 거야. 라라, 제발 부탁이야. 한 마디만 그 사람한테 해 주면 돼. 제발, 그 사람에게 부탁해 줘. 난 지금 자살하고 싶은 심정이야."

라라는 흥분하여 어쩔 줄 몰라했다.

"어떻게 그런 말을 할 수 있어요? 내가 그 사람한테 가서 무슨 욕을 당해도 상관 없다는 건가요? 오빤 지금 나한테 무슨 일을 하라고 하는지 알기나 해요? 오빠가 어떻게 되든 난 상관 없어요. 자살을 하든지 말든지 마음대로 하세요."

"라라, 제발 한 번만……."

로디온의 간절한 애원에 라라의 마음은 흔들리기 시작했다.

"그래, 그 돈은 얼마나 되지요?"

"약 7백 루블."

"맙소사, 나 같은 사람이 정직하게 일해서 그만한 돈을 벌려면 몇 년이나 걸리는지 아세요?"

라라는 잠시 흥분을 가라앉히고 말했다.

"좋아요. 내가 어떻게 해 보겠어요. 내일 다시 오세요. 그리고 권총을 가지고 와요. 자살할 때 쓰려고 했던 총 말이에요. 총알도 넉넉히 넣어서요."

라라는 나디아의 아버지로부터 그 돈을 빌렸다.

라라는 나디아의 집에 있으면서 여학교를 마치고 전문학교에 들어갔다. 성적도 우수했고, 1912년에 졸업할 예정이었다. 라라는 애인인 파샤 몰래 시베리아에 수감 중인 파샤의 아버지에게 돈을 보냈다. 그리고 병든 파샤의 어머니를 도왔으며, 파샤의 숙박비를 지불해 주기도 했다. 라라보다 나이가 좀 아래인 파샤는 라라를 사랑했다. 그는 라라의 말이라면 무조건 복종했다.

실업학교를 졸업한 파샤는 라라의 권유로 문과대학에 입학하려고 그리스 어와 라틴 어를 공부했다. 라라는 두 사람이 국가 시험에 합격하면, 우랄 지방으로 가서 중학교 교사로 일할 생각이었다.

1911년, 나디아의 식구들은 두플란트로 여행을 떠났다. 라라도 함께 갔다. 매해 여름이면 나디아의 가족은 그 곳으로 여행을 갔다. 라라는 그 고장을 좋아했다. 잠시나마 삶의 의미를 생각하게 해 주는 곳이었다. 라라는 그 해 여름 완전히 지쳐 있었고, 작은 일에도 예민해져 있었다. 나디아의 가족은 라라와 함께 살기를 원했지만, 리파가 학교를 졸업했기 때문에 계속 있을 이유가 없었다.

그러나 문제는 돈이었다. 나디아의 아버지로부터 꾼 돈 때문에 그냥 나갈 수도 없는 입장이었다. 라라는 오빠의 도박 때문에 자기가 인질로 이 집에 갇혀 있는 것만 같았다. 신경이 날카로워진 라라는 모멸감에 시달렸다. 누군가가 잘해 주면 자기를 동정해서이고, 조금 무관심하면 자기를 업신여긴다고 생각했다.

라라는 1911년 크리스마스를 맞이하여 중대한 결정을 하기에 이르렀다. 나디아의 집을 나가 스스로 삶을 개척하리라 결심한 라라는 어쩔 수 없이 코마로프스키한테 도움을 청해야겠다고 생각했다. 세월이 지났으니 이제는 어떤 치사한 조건도 내걸지 않고, 순수하게 친구의 딸을 도와주리라고 믿었다.

라라는 오빠가 준 권총에 총알을 넣은 뒤, 페트로브카 거리로 향했다. 만일 코마로프스키가 거절하거나 몸에 손을 대려고 하면, 총으로 쏴 버릴 작정이었다.

코마로프스키는 외출 중이었다. 하녀는 그가 크리스마스 파티에 갔다며 그 곳 주소를 가르쳐 주었다. 라라는 다시 거리로 나왔다. 추운 겨울 밤이었다. 카메르게르 거리에 이르자 라라는 걸음을 멈추었다.

"그래, 파샤에게 이 모든 것을 털어놓자."

파샤는 파티에 나갈 채비를 하고 있었다. 그는 라라가 몹시 흥분한 채로 자기를 찾아온 것을 보고 당황했다.

"라라, 대체 무슨 일이야?"

"촛불을 켜요. 전등불을 끄고."

라라는 촛불의 어슴푸레한 불빛 아래서 이야기하는 것을 좋아했다. 그래서 파샤는 언제나 양초를 준비해 두었다. 촛불의 부드러운 불빛이 방 안에 가득 찼다. 유리창의 얼음이 촛불 높이에서 동그라미를 그리며 서서히 녹았다.

"파샤, 내 말 잘 들어요. 난 지금 곤경에 빠져 있어요. 제발 날 도와주세요. 이건 진정으로 하는 말인데 우리 결혼해요. 하루라도 빨리요. 네?"

"라라, 그건 내가 항상 바라던 일이오. 당신이 날짜를 정하면 언제든지 결혼하고 싶소. 그런데 무엇 때문에 그러는지 이야기해 줘요."

하지만 라라는 말꼬리를 흐리며 화제를 바꾸었다.

유리와 토냐는 썰매를 타고, 스벤티스키 댁의 크리스마스 파티에 가는 길이었다. 그들은 6년 동안 같이 생활해 왔기 때문에 서로를 잘 알고 있었다.

파티에 가면서 두 사람은 같은 생각을 했다. 그것은 안나 부인이 당부했던 말이었다. 그 일은 두 사람을 아주 딴사람으로 만들었다. 유리는 오랜 친구인 토냐에게 특별한 관심을 가져 본 적이 없었다. 그것은 토냐도 마찬가지였다.

사실 그 날 유리는 파티에 가는 것을 그만두려고 했다. 안나 부인의 병세가 심상치 않았기 때문이다. 그러나 안나 부인이 파티에 꼭 참석해야 한다는 말에 어쩔 수 없이 가기로 했다. 카메르게르 거리를 지날 때 유리는 어느 집 창문에서 얼음이 동그랗게 녹아드는 것을 보았다. 유리는 그걸 보고 무엇인가에 대한 어렴풋한 영감이 떠오르는 걸 느꼈다.

'테이블 위에서 촛불이 타오르고 있었다.'

하지만 그 이상 아무것도 생각나지 않았다.

오래 전부터 스벤티스키 댁의 크리스마스 파티는 똑같은 방식이었다. 밤 열 시가 되면 아이들은 돌아가고, 남은 사람들은 아침까지 파티를 즐겼다. 사람들은 밤새도록 카드 놀이를 하고, 아침이 오면 식사를 함께 했다.

"왜 이렇게 늦었어요?"

유리와 토냐가 도착하자 주인의 조카가 물었다. 유리와 토냐는 주인 내외에게 인사를 하러 가면서 무도회장을 기웃거렸다. 방 한가운데서 사람들이 춤을 추며 어지럽게 빙글빙글 돌고 있었다.

스벤티스키 내외는 유리와 토냐를 반갑게 맞아 주었다. 그들은 안나 부인의 안부를 물었고, 그녀의 건강을 염려했다.

라라는 줄곧 무도회장에 있었으나 파티복을 입지 않았다. 아는 사람도 없었다. 라라는 코카 코르나포크와 춤을 추기도 했다. 라라는 코마로프스키의 눈에 띄기를 원했지만, 그는 카드 놀이에 정신이 없었다.

코마로프스키와 함께 카드 놀이를 하고 있던 사람 중에 라라에게 춤을 신청했던 코르나코프가 있었다. 코르나코프는 다름 아닌 모스크바 중앙 재판소의 차장 검사였다. 그는 티베르진과 여러 철도 노동자들을 재판에 제소한 사람이었다. 또한 라라의 부탁으로 나디아의 아버지가 그를 찾아가서 관대한 조치를 간청했을 때, 거절했던 사람이기도 했다.

어느 새 자정이 지나 새벽 한 시쯤 되었다. 유리는 넓은 홀 가운데 서서 낯선 남자와 춤을 추는 토냐를 바라보았다. 토냐는 낯선 남자와 춤을 추면서 불쾌한 표정을 지으며 유리를 장난스럽게 쳐다보았다. 그런데 갑자기 집 안에 총소리가 울려 퍼졌다. 장내가 쥐죽은 듯이 고요해졌다가 다시 소란스러워지기 시작했다.

"아니, 이 여자가 대체 무슨 짓을 한 거야? 여기 의사 없소? 이 쓰레기 같은 년! 가만두지 않겠어. 저년을 놓치지 말아. 뭐라고요, 코마로프스키 씨? 내가 아니라 당신을 쏘려고 했던 거라고요?"

다행히 코르나코프 검사는 총알이 스치고 지나가 크게 다치지는 않았다. 한쪽에서는 사람들이 라라의 팔을 붙잡아 끌고 나왔다. 유리는 라라를 보자 어안이벙벙해지고 말았다.

'아, 그 때 그 여자야. 그리고 저 남자는 그 때 그 남자야.'

유리는 코마로프스키를 알아보았다. 그는 아버지의 유산 문제와 관련이 있는 변호사였다.

'저 여자가 총을 쏘았단 말인가. 검사에게?'

라라는 그대로 서 있을 수 없을 만큼 다리가 휘청거렸다. 사람들은 그녀를 부축하여 가까운 의자로 데리고 갔다. 라라는 의자에 앉자마자 곧 정신을 잃고 말았다.

그 때 토냐가 새파랗게 질린 얼굴로 유리에게 말했다. 급히 집으로 돌아오라는 기별이 왔다는 것이다. 유리는 안나 부인의 상태가 아주 나빠졌다는 것을 직감했다.

그들이 집에 도착했을 때, 안나 부인은 이미 세상을 떠난 뒤였다. 토냐는 안나 부인의 가슴에 얼굴을 묻고 울음을 터뜨렸다. 슬픔에 잠긴 토냐는 아무 말도 하지 못하고, 그저 묻는 말에만 고개를 끄덕일 뿐이었다.

며칠 후 장례식을 치렀다. 한결 추위가 가신 후라 장례를 치르기에는 알맞은 날씨였다. 사람들은 모두 안나 부인의 죽음을 슬퍼했다.

유리의 어머니도 안나 부인이 묻힌 교회당 묘지에 묻혀 있었다. 여러 해 동안 유리는 어머니의 무덤을 찾지 못했었다. 유리는 어머니의 무덤 쪽을 바라보며 '어머니!' 하고 속으로 불러 보았다.

그로메코 교수는 토냐를 부축하며 걸었다. 유리는 남들보다 앞서서 걸어갔다. 그는 집에 돌아가 안나 부인을 추도하는 시를 써야겠다고 생각했다. 그러면서 예술은 언제나 죽음이란 주제에서 벗어날 수 없다는 사실을 깨달았다.

피할 길 없는 운명

코마로프스키는 어쩔 줄 몰라 안절부절못했다. 라라의 총기 사건으로 서로 엇갈리는 감정이 그의 가슴을 옥죄었다. 이 사건 때문에 그의 사회적 지위는 위기에 처했고, 그는 명예를 잃게 될지도 모른다. 하지만 라라를 보자 그는 다시 마음이 끌리기 시작했다.

여러 가지 상황으로 볼 때 그는 라라를 돌봐주어야 했다. 우선 라라에게 방을 구해 주어야 한다고 생각했다. 그러나 라라를 가까이하게 되면 앞으로도 많은 문제가 생길 수 있다. 그는 먼저 라라가 기소되지 않도록 애써야 했다. 만약 기소되더라도 총기 사건을 일으켰을 당시에 라라가 정상이 아니었음을 입증하기로 했다.

코마로프스키는 자기가 아는 여자 변호사인 루피나의 집에 라라를 묵게 했다. 루피나는 라라가 못마땅했다. 그녀는 라라가 꾀병을 부린다고 생각했으며, 고열에 헛소리를 하는 것도 남의 관심을 끌기 위한 행동이라고 생각했다.

코마로프스키는 라라를 찾아오지 않았다. 그는 더 이상 아무런 요구도 하지 않았고, 라라와의 과거도 들먹이지 않았다. 그는 예전과는 달리 점잖게 라라를 도왔다.

며칠 뒤, 나디아의 아버지 콜로그리보프가 라라를 찾아왔다. 나디아의 아버지는 마치 라라를 자기 딸처럼 챙겼다.

"라라, 이게 어찌 된 일이니? 이 방은 습기가 많구나. 내가 아는 화가가 마침 오랫동안 여행을 떠난다고 하니 그 집으로 옮기도록 해라. 가구며 살림살이는 그대로 사용하면 돼. 그리고 리파의 졸업 기념으로 주는 것이니 이 돈을 받아 주렴."

라라는 눈물을 흘리며 극구 사양했다. 하지만 나디아의 아버지는 1만 루블짜리 수표를 억지로 쥐어 주고 돌아갔다. 건강이 회복되자 라라는 나디아의 아버지가 얘기한 화가의 집으로 거처를 옮겼다.

한편, 파샤는 라라 때문에 몹시 괴로웠다. 라라 역시 파샤에게 자기를 보러 오지 말라고 한 것이 마음에 걸렸다. 파샤는 조금씩 라라가 의심스러워졌다. 그리고 라라를 도와주는 변호사도 이상했다.

'저 사람은 라라에게 총을 맞아 죽을 뻔했으면서도, 왜 라라를 보살펴 주는 걸까?'

건강이 회복되자, 라라는 파샤를 불렀다.

"파샤, 나는 나쁜 여자예요. 당신은 내가 어떤 여자인지 잘 몰라요. 언젠가 모든 것을 알게 되겠지만, 지금은 안 돼요. 파샤, 날 잊어 줘요. 나는 당신의 사랑을 받을 자격이 없어요."

파샤는 라라가 무슨 짓을 저질렀는지 알 것 같았지만, 라라를 너무 사랑했기 때문에 헤어질 수 없었다. 그는 라라와 결혼하기로 결심했다.

성령강림주일 다음 월요일에 라라와 파샤는 결혼식을 올렸다. 교회에서 결혼식을 마친 후, 라라의 집에서는 피로연이 열렸다. 시끌벅적한 피로연이 끝나고 손님들이 모두 돌아가자, 신랑 신부만이 남았다. 파샤는 조용한 분위기가 왠지 불안했다. 그날 밤, 두 사람은 밤새도록 대화를 나누었다. 파샤의 질문에 라라는 대답을 했고, 그 때마다 파샤는 지옥으로 떨어지는 기분이었다.

열흘 뒤 친구들은 라라와 파샤의 송별회를 열어 주었다. 둘 다 우수한 성적으로 학교를 졸업했고, 우랄 지방의 작은 도시에 일자리를 얻어 떠날 예정이었다. 다음 날, 아쉬워하는 친구들을 뒤로 한 채, 두 사람은 모스크바를 떠났다.

구질구질한 날씨가 사흘이나 계속되었다. 전쟁(제1차 세계 대전)이 일어나고 두 번째로 맞는 가을이었다. 유리는 의사가 되었다. 사람들은 그를 닥터 지바고라고 불렀다.

조금 전, 유리는 곧 분만할 예정인 아내 토냐를 입원시켰다. 그런 다음 그는 왕진을 나갔다.

두 대의 트럭이 병원에 도착했고, 부상병들이 병실로 옮겨졌다. 모스크바의 병원은 수많은 부상병들로 가득했다. 병원은 모두 초만원이라서 부상병은 복도나 로비에서 치료를 받아야 했다.

지바고는 몹시 지쳐서 아무것도 떠오르지 않았다. 며칠 전 여자 환자 한 명이 사망했는데, 지바고는 그 환자에게 '간장 포충'이란 진단을 내렸다. 그러나 모두들 지바고가 오진을 했다고 생각했기 때문에, 시체를 부검하기로 했다.

어느덧 날이 어두워졌다. 토냐의 입원실에서 산부인과 과장이 나왔고, 간호사도 뒤따라 나왔다.

간호사는 지바고를 보고 말했다.

"이제 그만 돌아가시는 게 좋겠어요. 제가 내일 성십자 병원에다 전화로 알려 드릴게요. 부인께서는 자연 분만을 할 수 있을 것 같아요."

다음 날 지바고가 병원에 전화를 걸었더니 간호사는 하루나 이틀 정도 더 기다리라고 했다. 사흘째 되는 날에 연락이 왔다. 간밤에 진통이 시작되어 새벽에는 양수가 터지고, 아침부터 짧은 간격으로 심한 진통이 있다는 것이었다.

지바고는 허겁지겁 병원으로 달려갔다. 병실에 도착했을 때 토냐는 비명을 질러 댔고, 잠시 후 갓난아기의 울음소리가 들려왔다. 간호사가 병실에서 나오며 말했다.

"축하합니다. 아들이에요."

"아, 무사했구나. 무사했어."

지바고는 기쁨에 못 이겨 중얼거렸다.

지바고는 토냐가 무사하다는 사실을 무척 다행스럽게 생각했다. 아이는 기대하지 않았던 뜻밖의 선물인 것만 같았다. 그는 행복한 마음으로 근무하는 병원으로 돌아왔다. 사람들이 다투어 축하한다는 말을 해 주

었다.

'아기를 낳은 것이 벌써 여기까지 소문이 났나?'

지바고는 의아하게 생각했다. 직원 한 사람이 와서 지바고의 진단이 틀리지 않은 것 같다는 이야기를 해 주었다. 그제서야 그는 사람들의 축하의 의미를 알았다. 지바고가 내린 진단은 정확했던 것이다.

그 때 원장이 들어와 말했다.

"지바고, 당신 판단이 옳았어. 축하하네. 그건 그렇고, 골치 아픈 이야기가 있어. 군의관이 엄청 부족하다는 거야. 자네도 머지않아 전쟁터로 나갈지 모르니 그리 알라고."

파샤와 라라는 유리아틴에 잘 적응했다. 라라의 어머니 기샤르가 이 고장에서 평판이 좋아 자리잡기가 훨씬 수월했다.

그 동안 두 사람 사이에 딸 카텐카가 태어났다. 라라는 여자 중학교에서 교편을 잡았다. 그녀는 쉴새없이 일하면서도 행복을 느꼈다. 라라는 유리아틴이 좋았다. 이 고장의 사투리와 사람들의 소박함이 좋았다.

하지만 파샤는 달랐다. 그는 늘 사람들을 냉정하게 대했다. 그는 이곳 사람들의 거친 행동과 무식함이 싫었다. 그는 고전학을 전공했고, 중학교에서는 고대사와 라틴 어를 가르쳤다. 하지만 그는 물리학과 수학을 공부하고 싶었다. 그래서 다시 학위를 받아 가족과 함께 상트페테르부르크로 가길 원했다.

라라와의 사이는 좋았지만, 파샤는 라라가 자기에게 다정하게 대해줄수록 오히려 마음의 부담을 느꼈다. 혹시 자기가 하는 말에 라라가 상처를 입지는 않을까 늘 조심스러웠다. 그러다 보니 두 사람의 사이는 늘 어색했다.

파샤는 최근 통 잠을 이루지 못했다. 그 날도 살며시 일어나 강나루까지 갔다. 파샤는 거기서 별을 바라보며 조만간 결단을 내려야겠다고 결심했다. 일이 이렇게 되리라는 것을 진작에 알았어야 했다.

'왜 나는 결혼하기 전 라라가 잊어 달라고 했을 때 그녀를 단념하지 못했을까? 그녀가 사랑하는 사람은 내가 아니야. 나는 어릴 때부터 라라를 미칠 듯이 좋아했어. 하지만 그것이 사랑이었을까?'

며칠 뒤, 파샤는 라라에게 전쟁터로 나가겠다고 말했다. 라라는 뜻밖의 말에 정신을 차릴 수가 없었다.

"파샤, 가지 말아요. 당신은 왜 나와 카텐카를 두고 전쟁터로 떠나려는 거죠? 안 돼요. 제발 가지 말아요."

라라의 간곡한 부탁도 파샤의 결심을 꺾을 수는 없었다. 파샤는 마침내 전쟁터로 떠났다. 전선에서 보내오는 편지에서는 한결 명랑해진 파샤를 느낄 수가 있었다. 그는 전쟁에서 공을 세워 공로 포상을 받거나 가벼운 부상이라도 입어서 가족과 만나게 되기를 원했다.

그런데 얼마 후부터 파샤로부터 연락이 오지 않았다. 불안해진 라라는 여러 경로를 통해 파샤의 소식을 알아보았지만, 아무 데서도 그의 소식을 들을 수가 없었다.

결국 라라는 학교에서 6개월 간의 휴가를 받은 뒤, 다른 부인들처럼 유리아틴 병원에 봉사를 다녔다. 라라는 딸을 아는 사람에게 맡기고 파샤를 찾으러 직접 전쟁터로 나갔다.

서신으로는 아무리 알아보았자 남편의 소식을 들을 수가 없다는 것을 알았기 때문이다. 그녀는 헝가리 국경의 메조라보르치 지방으로 향하는 병원 열차에 간호사로 들어갔다. 메조라보르치는 파샤에게서 온 마지막 편지의 주소지였다.

적십자 열차가 사단 본부에 도착했다. 이 열차는 화물차였는데, 그 중 한 칸에는 장병에게 위문품을 가지고 온 모스크바의 유명 인사들이 타고 있었다. 그 중에는 미샤 고르돈도 있었다. 미샤는 친구 닥터 지바고를 찾아 이 곳에 온 것이다.

그 무렵, 전선의 이동이 시작되었다. 미샤가 방문한 마을 남쪽에서 아군이 적의 진지를 성공적으로 돌파하였다. 그러나 후속 부대가 뒤따르지 못해 후방이 차단되었고, 선봉 부대원들은 포로가 되고 말았다. 그 포로들 중에는 라라의 남편 파샤 안티포프 소위가 있었다.

한편, 파샤에 대한 소문은 사실과 다르게 났다. 적의 포탄이 터질 때 그가 포탄에 맞아 죽었다는 것이다. 그의 친구이며 같은 부대에 있던 갈리울린 중위가 관측소에서 쌍안경으로 그의 전사를 직접 확인했다는 것이었다.

갈리울린은 파샤의 아내에게 전달할 유품을 보관하고 있었다. 그 속에는 라라의 사진이 몇 장 들어 있었다. 중위로 진급한 지 얼마 되지 않은 갈리울린은 티베르진의 집에 세들어 사는 수위 기마제트진의 아들이었다.

갈리울린과 파샤가 처음 사귄 것은 1905년이었다. 이 무렵 파샤는 반년 가량 티베르진 집에서 신세를 지고 있었다. 거기서 라라도 한두 번 만난 적이 있었다. 그 후 두 사람은 전혀 소식을 모르다가, 파샤가 유리아틴에서 연대로 부임해 오면서 다시 만나게 된 것이다.

그런데 지금, 파샤는 가고 그의 서류와 사진만이 갈리울린의 손에 남은 것이다. 그는 파샤의 아내 라라에게서 온 편지를 받았다. 라라가 파샤의 연락을 받지 못했던 것은, 파샤의 실종 때문이었다. 갈리울린은 라라에게 파샤의 전사 소식을 전하려 했지만, 라라의 상처를 조금이라도 덜어 주고 싶어 미루고 있었다. 그러다가 라라가 간호사가 되어 전선 어딘가에 와 있다는 소문을 듣게 되었다.

"자네를 여기에 오게 하는 게 아닌데."

지바고가 말했다.

"조금만 더 가면 우리 포대가 있다네. 무슨 소리가 들리지? 자넨 태연한 척하지만, 사실은 두려워하고 있다는 걸 알아. 하긴, 그게 당연해. 포탄이 여기까지 날아올지도 모르니까."

투박한 장화를 신고 흙투성이가 된 병사들이 숲 길가에 축 늘어서 있었다. 이들은 많은 전사자를 낸 치열한 전투에서 살아 남은 생존자들이었다. 부상병들은 치료소에서 응급 처지를 받았고, 급한 환자는 수술대로 옮겨졌다.

마차가 응급 치료소 앞에 멈추자, 위생병들이 들것으로 부상병들을 내려놓기 시작했다. 그 때 간호사 한 명이 천막 출입구의 포장을 살짝

들추어 밖을 내다보고 있었다.

천막 뒤 숲 속에서는 두 사람이 큰 소리로 싸우고 있었다. 흥분한 중위 한 사람이 군의관에게 숲 속에 있던 부대가 어디로 이동했는지 캐물었고, 군의관은 부상병이 몰려오니 귀찮게 하지 말라고 신경질을 부렸다. 지바고는 그 군의관에게 다가가 인사를 하고 함께 치료소로 들어갔다. 그 때까지도 간호사는 줄곧 밖을 내다보고 있었다.

눈뜨고 볼 수 없을 정도로 심한 중상을 입은 환자들이 여기저기 누워 있었다. 포탄 파편으로 얼굴이 짓이겨지고, 혀와 입술이 뭉그러진 환자도 있었다. 어떤 환자는 한쪽 뺨이 찢어져 너덜거리고, 아래턱 뼈에는 파편이 박혀 있었다.

그 때 들것에 실려 층계로 올라가던 한 환자가 외마디 비명을 지르더니 부르르 몸을 떨고는 숨을 거두었다.

이 늙은 병사가 바로 기마제트진이었다. 숲 속에서 군의관에게 소리를 지르던 장교는 그의 아들 갈리울린 중위였고, 밖을 내다보던 간호사는 라라였다. 지바고와 고르돈은 이 광경을 모두 지켜보았다. 그러나 이들은 같이 있었지만 서로를 전혀 알아보지 못했다.

하루는 고르돈과 지바고가 마차를 타고 숙소로 돌아가고 있는데, 어떤 청년이 유대 인 노인을 괴롭히고 있었다. 지바고가 말했다.

"참으로 슬픈 일이야. 전쟁은 유대 인들을 처참하게 만들었어. 자넨 상상도 못할 걸세. 유대 인도 동등한 권리를 누려야 하는데 박해만 받고 있지. 아무런 합리적인 근거도 없이 유대 인을 증오하는 세상이라네."

그러나 고르돈은 아무 말도 하지 않았다.

다음 날, 저녁 식사를 하다가 지바고가 고르돈에게 말했다.

"자넨 여기를 떠나고 싶어했지. 드디어 자네 소망이 이루어졌어. 하지만 다행이라고 말할 수는 없어. 아군이 패했기 때문에 생긴 행운이니까. 제기랄! 군대 생활은 마치 정들면 떠나야 하는 유목민의 생활과 같군."

그들은 짐을 꾸린 후에 잠을 잤다. 한밤중에 그들은 고함과 발소리 때문에 잠이 깼다. 창 밖에서는 사람들의 그림자가 분주히 오고갔다. 옆방에서 집 주인 내외가 움직이는 소리가 들렸다. 위생병을 통해 알아보니 독일군이 쳐들어온다는 것이었다.

적의 포탄이 날아왔다. 후퇴는 당연했으며, 야전 병원은 즉각 철수를 개시했다. 날이 밝기 전에 모든 일을 끝내야 했다.

"자네, 선발대와 함께 가게. 막 떠나려는 열차를 잡아 놨어."

지바고는 마을 어귀까지 가서 고르돈을 배웅하였고, 바로 숙소를 향해 달렸다. 숙소에 거의 도착했을 때, 지바고는 폭탄의 파편에 맞아 의식을 잃은 채 길 한복판에 쓰러졌다.

지바고는 야전 병원 장교 병실에 입원했다. 2월 하순의 따뜻한 날씨였고, 환자들은 무료한 시간을 보내고 있었다. 새로 온 간호사가 오늘이 병실에 올 것이라고 했다.

지바고의 맞은편에는 갈리울린이 입원해 있었다. 그는 신문을 뒤적거리다가 검열에 걸려 공백으로 나온 부분을 보고는 화를 냈다.

지바고는 토냐의 편지를 읽고 있었다. 가벼운 발소리가 들려 눈길을 돌려 쳐다보니 라라였다. 갈리울린 중위도 라라를 보았다. 하지만 라라는 두 사람을 알아보지 못했다.

"이것 참 뜻밖입니다, 라라."

"저를 아시나요?"

"나는 당신의 남편 파샤와 함께 근무했습니다. 당신한테 전할 물건이 있습니다."

"당신이 제 남편을 아신다니 정말 뜻밖이군요. 자세히 이야기해 주세요. 혹시 파샤가 죽었나요? 하나도 숨기지 말고 이야기해 주세요."

갈리울린은 파샤가 죽었다는 말을 전하고 싶지 않았다. 그래서 거짓말로 라라를 위로하려고 했다.

"안티포프는 포로가 되었습니다."

라라는 그 말을 믿지 않았다. 그녀는 남편이 죽었을 거라는 불길한 생각에 울음이 터질 것만 같았다. 하지만 침착한 얼굴로 지바고에게 다가갔다.

"어디 불편한 데는 없으신가요?"

지바고는 라라의 두 눈에 고인 눈물을 보았다. 지바고는 라라를 중학교 때와 대학교 때, 두 번 본 적이 있다고 이야기하고 싶었지만, 치근덕거린다는 오해를 받을 것 같아 망설였다.

"나는 의사라서 내 몸을 스스로 돌볼 수 있으니 염려 말아요."

라라는 아침 저녁으로 두 차례씩 병실을 돌면서 환자들을 살폈다. 라라는 지바고를 볼 때마다 이렇게 생각했다.

'젊은 사람이 왜 저렇게 퉁명스러울까? 하지만 말하는 폼이 아주 지적이고 마음을 사로잡는 데가 있어. 어머, 내가 지금 무슨 생각을 하고 있는 거야? 가엾은 파샤의 소식도 알았으니까, 어서 카텐카에게 돌아가야지.'

라라는 딸 생각에 눈물을 흘렸다. 그녀는 자기에게 변화가 일어났음을 느꼈다. 예전의 라라에게는 나라가 전쟁에서 패했다는 소식이 불행의 근원이었다. 하지만 남편을 잃은 라라에게는 모성애만이 남아 있었다. 라라는 아버지를 잃은 딸을 위해 열심히 살아야겠다고 결심했다.

한편, 지바고는 모스크바에서 편지를 받았다. 미샤 고르돈과 니카 두

도르프가 지바고의 양해도 없이 출판한 책이 좋은 평가를 받았다는 편지였다. 그리고 지금 모스크바는 동요에 휩싸여 큰일이 일어날 것 같은 분위기라고 했다. 지바고는 아내와 아들 사샤를 생각했다.

'토냐, 사샤! 보고 싶어. 집으로 돌아가고 싶어.'

다음 날 라라는 갈리울린에게 가서 고맙다는 인사를 하고, 여러 가지를 물어 보다가 갈리울린에 대해 알게 되고는 무척 놀랐다.

"오, 세상에. 이럴 수가! 당신이 티베르진의 집에 살던 유수프카라고요? 1905년 겨울, 파업이 일어났을 때 당신이 총을 쏘는 것을 본 적이 있어요."

라라는 온종일 티베르진의 집을 생각했다. 그 때 거리에서 총을 쏘던 아이들이 이제 어른이 되어 전쟁터에 와서 총을 쏘고 있는 것이다.

그 때 환자들이 목발을 짚고 뛰어다니며 외쳤다.

"굉장한 뉴스야! 상트페테르부르크에서 시가전이 벌어졌대. 혁명이 일어났어!"(1917년 2월 혁명을 뜻함)

과거와의 이별

멜류예제보라는 도시는 아침부터 저녁까지 전선으로 가는 사람과 전선에서 돌아오는 사람이 교차하는 곳이라서 전쟁이 계속되고 있는지 끝났는지 종잡을 수가 없었다. 라라에게는 매일 새로운 임무가 생겼고, 지바고와 함께 일할 때가 많았다.

지바고는 아내 토냐에게 편지를 썼다.

보고 싶은 당신! 일찍 당신한테 편지를 썼어야 했는데 이렇게 늦었소. 요즘 나는 라라라는 간호사와 함께 일하고 있다오. 라라는 모스크바에서 온 여인이오. 어머니가 돌아가시던 그 날, 크리스마스 파티에서 검사를 저격했던 처녀를 기억하시오? 또, 허름한 호텔에서 나와 미샤가 보았다던 어떤 여학생에 대한 이야기를 기억하시오? 그 여학생이 바로 라라요.

토냐, 나는 하루빨리 집으로 돌아가고 싶소. 하지만 그렇게 쉬운 일은 아니라오. 기차는 거의 다니지 않고, 다닌다 해도 거의 초만원이기 때문에 좌석을 얻을 수 없다오. 하지만 여기에 계속 있을 수만은 없지. 그래서 나와 갈리울린과 라라는 무슨 수를 써서라도 이 곳을 떠나기로 했다오. 그러니 언제 집에 불쑥 나타나게 될지도 모르오. 물론 떠나게 되면 미리 전보를 치겠소.

얼마 후 지바고는 아내의 편지를 받았다. 편지는 눈물로 얼룩져 있었다. 토냐는 모스크바로 돌아오지 말고, 간호사를 따라가라고 했다. 그 여자와 그렇게 우연히 만난 것은 운명이라고 했다. 그리고 사샤는 부끄럽지 않게 잘 키울 테니 걱정하지 말라고 했다.

지바고는 당장 답장을 보냈다.

토냐, 왜 그런 엉뚱한 생각을 하오? 나에게 당신과 사샤가 없었다면, 이 지긋지긋한 전쟁터에서 어떻게 2년 동안을 버틸 수 있었겠소? 당신이 그런 오해를 했다면 그건 내 잘못이오. 내 태도에 애매한 점이 있었다는 것이니 말이오. 그렇다면 나는 당신뿐 아니라 라라에게도 죄를 지은 것이 된다오. 나는 라라와 한집에서 생활하지만 그녀가 어느 방을 쓰는지도 모르고, 알려고 하지도 않는다오.

지바고가 머물고 있는 병원은 지브린스키 백작 부인의 저택이었다. 전쟁이 터지자 백작 부인은 자기 집을 적십자에 제공했다.

저택이 병원으로 바뀌면서 이 집에서 일하던 사람들 중에 남아 있는 사람은, 요리사였던 우스티냐와 가정교사 마드무아젤 플레리였다. 희끗희끗한 머리칼에 얼굴이 불그레한 마드무아젤은 라라와 지바고가 서로 호감을 느끼고 있다는 것을 눈치채고 있었다.

마드무아젤은 두 사람을 함께 있게 해 주고는 의미 있는 윙크를 해 보였다. 라라와 지바고는 이런 일을 당할 때마다 화를 냈지만 마드무아젤은 이런 장난을 자주 했다.

어느 날 라라는 가까운 도시로 나갔다가 돌아왔다. 라라는 저녁을 먹자마자 자기 방으로 돌아가면서 피곤하니 깨우지 말라고 부탁했다. 마드무아젤은 지바고에게 그 소식을 전하면서 이렇게 덧붙였다.

"내가 당신이라면 라라를 찾아가 보겠어요. 아마 아직 잠들지는 않았을 거예요."

그러자 지바고가 물었다.

"라라의 방이 어디입니까?"

마드무아젤은 뜻밖의 반응에 놀라지 않을 수 없었다. 어느 새 날이 저물어 어둑어둑해지고 있었다.

지바고는 라라의 방 앞까지 찾아갔다가 여행에 지친 사람을 방문하는 것이 결례일 것 같아 내일로 미루는 것이 좋겠다고 생각했다.

다음 날 저녁, 지바고는 라라를 만났다. 라라는 식기실에서 다리미질을 하고 있었다.

"어제 저녁에 왜 제 방에 오지 않으셨어요? 마드무아젤에게 들었어요. 하지만 오지 않기를 잘 하셨어요. 이미 잠들어 있었거든요."

"여행은 어땠소?"

"말을 하자면 길지요."

두 사람은 잠시 동안 전쟁에 대한 이야기를 나누었다. 하지만 이런 일은 다시 일어나지 않았다. 일주일 후 라라가 병원을 떠났기 때문이다.

얼마 후 지바고도 집으로 떠날 준비를 했다. 떠나기 전날 밤 심한 폭우가 내렸다.

한밤중에 마드무아젤은 현관문을 두드리는 소리에 잠을 깼다. 몹시 피곤했던 마드무아젤은 자리에서 힘겹게 일어났다. 창 밖으론 바람이 심하게 불며, 세찬 비가 내리고 있었다.

"기다려요. 곧 나갈게요."

마드무아젤은 외투를 걸치고 지바고를 깨우러 갔다. 지바고와 함께 나가면 무섭지 않을 것 같았다. 마침 지바고도 문 두드리는 소리를 듣고 막 나오는 참이었다. 두 사람은 조심스레 문을 열었지만, 아무도 없었다.

"거 참, 이상하네."

그제서야 두 사람은 덧문이 부서져 빗방울이 창문을 두들겼다는 사실을 알았다.

그들은 허탈하게 문을 잠그고는 공연히 잠을 설친 것을 후회했다. 그들은 문을 열어 주러 가면서, 라라가 다시 돌아와 바깥 세상에 대한 모험담을 들려주리라고 기대했던 것이다. 라라에 대한 그리움은 두 사람을 오랫동안 괴롭혔다.

멜류예제보 근처 역에서 소동이 있었다. 이 소동의 간접적인 원인은 통신병 콜랴에게 있었다. 콜랴는 전보를 치고 전화를 거는 일을 했다. 그리고 철도 신호도 해야 했기 때문에 무척 바빴다. 그런데 콜랴가 꼭 전해야 할 말을 전하지 않아 소동이 일어났다.

어느 날, 갈리울린이 시내에 전화를 걸어 그 근처에 긴츠 위원이 있을 테니, 전화를 받게 해 달라고 했다. 긴츠 위원은 이 지방에 새로 부임한 군사 위원이었다.

갈리울린은 자기가 도착할 때까지 연설을 하지 말고 기다려 달라고 말할 작정이었다. 그러나 콜랴는 바쁘다는 핑계로 긴츠 위원을 불러 줄 수 없다고 거절했다.

한편, 긴츠 위원은 평소처럼 사람들에게 군인의 의무와 조국에 대해 연설했다. 하지만 사람들은 오랜 전쟁으로 지쳐 있어 연설을 건성으로 들었다.

"허구한 날 똑같은 소리, 정말 지겨워."

"장교들은 지금도 우릴 어린애 취급한다니까. 어쩌면 저놈은 독일의 스파이일지도 몰라."

처음에는 한두 사람이 떠들기 시작하더니 시간이 지나자 여기저기서 웅성거리기 시작했다. 그들은 긴츠를 가만두지 않을 태세였다. 그러자 한 장교가 긴츠에게 말했다.

"조용히 이 곳을 떠나시는 게 좋겠군요."

긴츠는 시키는 대로 했다. 그러나 몰래 빠져 나가는 것은 체면이 깎이는 일 같아 떳떳하게 역 쪽으로 갔다. 역 가까이 갔을 때, 긴츠는 자기의 잃어버린 자존심을 되살려야겠다고 생각했다.

'저들에게 감동을 줄 만한 몇 마디 말만 하면, 사람들은 어쩌면 제정신을 차릴지 몰라.'

긴츠는 역 건물에 있는 큼직한 물통 위로 올라갔다. 그 물통은 방화용으로 높이가 꽤 높았고, 단단한 뚜껑이 닫혀 있었다. 긴츠는 그 곳으로 올라가 자기를 위협하는 군중을 향해 횡설수설하며 연설을 하기 시작했다. 그런데 그 때 긴츠가 딛고 올라선 뚜껑이 갑자기 삐끗하면서 한쪽 발이 물 속에 빠지고 말았다. 남은 발도 물통에 걸렸다. 허우적거리는 긴츠의 모습을 바라보던 군인들은 폭소를 터뜨렸다.

그런데 이게 어찌 된 일일까? 앞에 서 있던 한 병사가 긴츠의 턱을 겨누고 방아쇠를 당겼다. 긴츠는 그 자리에서 피를 흘리며 쓰러졌다. 그러자 다른 병사가 달려가 죽은 그의 몸에 총검을 찔러 댔다.

지바고가 모스크바로 떠나는 날은 무척 더웠다. 역장은 지바고에게 냉담하게 말했다.

"이 기차를 타실 생각은 마세요. 아마 사람들에게 떠밀려 죽을 겁니다. 내가 완행 열차를 하나 마련해 드리지요. 하지만 아무에게도 이 사실을 말하면 안 됩니다. 소문이 나면 많은 사람들이 몰려들 테니까요. 그 열차를 타고 가시다가 오늘 밤 수히니치 역에서 모스크바로 가는 열차로 갈아 타시면 됩니다."

'비밀' 열차가 철도 차고 뒤에서 후진하며 역으로 들어오자, 군중들은 일시에 선로를 가득 메웠다. 이미 기차가 움직이고 있는데도 사람들은 겁도 없이 올라탔다.

플랫폼에 정거했을 때 이미 기차는 만원이었다. 지바고는 사람들에게 떠밀려 저절로 기차 복도까지 올라갔다. 사람들은 기차 안에서 시끄럽게 떠들고 노래를 부르거나, 싸움질을 했다. 기차 안은 온통 아수라장이었다. 그날 밤, 지바고는 수히니치에서 임시 열차를 탔다. 나중에 알았지만, 그 열차는 특별 열차였다. 열차는 꽤 빨리 달렸고, 자리는 거의 비어 있었다.

기차 안에서 지바고는 여러 가지 생각에 빠져 있었다. 하나는 토냐와 집에 관한 생각이었다. 지바고는 두 해 동안 집을 떠나 있다가 이제서야 돌아가는 중이었기 때문에 몹시 흥분되었다. 또 하나는 전쟁에 대한 생각이었다. 전쟁은 잔인했고, 야만스러움 그 자체였다. 전쟁으로 인한 공포, 방황, 시련 등에 생각이 미치자 지바고는 불현듯 라라를 떠올렸다. 지바고는 비로소 깨달았다. 자기가 가족을 진심으로 사랑하려고 노력했던 만큼, 라라를 사랑하지 않기 위해 애쓰고 있다는 사실을.

기차는 전속력으로 달렸다. 열차 차창에서 불어오는 바람이 지바고의 머리카락을 헝클어 놓고 달아났다. 한밤중에도 정거장마다 많은 사람들이 타고 내렸다.

"모스크바입니다."

기차는 드디어 플랫폼에 진입하고 있었다.

모스크바

그 동안 모스크바는 많이 변해 있었다. 도시는 지저분했으며, 활기차고 번화했던 모습은 어디에도 없었다. 사거리를 몇 개 지나자, 지바고의 집이 보였다. 지바고는 두근거리는 가슴을 억누르며 마차에서 내려 초인종을 눌렀다. 문을 열고 나온 토냐는 울음을 터뜨리며 지바고의 품에 안겼다.

"잘 있었소? 다들 별고 없고?"

"그럼요. 잘 있어요. 왜 온다고 미리 전보를 치지 않았어요?"

"대신 이렇게 빨리 왔잖아. 당신, 그 동안 좀 마른 것 같군. 하지만 여전히 아름다워."

"고르돈과 두도로프도 당신을 보고 싶어했어요."

"참, 사샤는?"

"금방 잠이 깼어요. 목욕한 다음 만나 보세요."

"아버님은 건강하셔?"

"아침부터 밤 늦게까지 모스크바 소비에트에 나가 계세요. 의장이시거든요. 놀라셨죠? 그런데 당신이 탄 기차에는 티푸스가 돌지 않았나요? 당신 몸에 이 같은 건 없겠지요?"
"그렇진 않을 거요. 우선 목욕을 해야겠어. 그래야 사샤를 안을 수 있을 테니까."
"참, 당신 모르시죠? 아버님과 의논해서 아래층을 농업전문학교에 내주기로 했어요. 욕실도 예전에 사용하던 그 곳이 아니랍니다. 나를 따라오세요."
"방을 내준 건 잘한 일이야. 내가 일하던 병원도 개인 소유의 별장이었지."
"그런데 들고 계신 건 뭐예요?"
"아, 이거? 아까 기차 안에서 만난 젊은이가 당신한테 주는 선물이라며 주더군."
"우와! 이건 오리잖아요. 뉴샤한테 털을 뽑으라고 해야겠어요. 연료가 부족해서 시민들의 생활이 이만저만이 아니에요."
"나도 들었소. 전쟁은 사람들에게 너무도 많은 고통을 주었어. 앞으로 더 견디기 힘든 일이 많을 거요. 부디 잘 참고 견딥시다."
"지바고, 기쁜 소식을 전해 드릴게요. 니콜라이 삼촌이 돌아오셨어요. 그 동안 스위스에 계셨대요."
"그게 정말이오? 삼촌은 지금 어디 계시오?"
"아는 사람의 별장에 계세요. 모레쯤 다시 오신다고 했어요. 어쩌면 당신, 삼촌한테 많이 실망할지도 몰라요. 볼셰비키(과격한 혁명주의자)한테 물들어 버렸으니까요. 아버님은 니콜라이 삼촌과 종종 언성을 높이면서 논쟁을 하셨어요."
"그랬군. 어쨌든 니콜라이 삼촌이 돌아온 것은 틀림없는 사실이겠지?

정말 믿을 수 없는 일이군."

목욕을 마친 지바고는 곧 아들 사샤를 만나 안을 수 있었다. 지바고는 사샤가 태어나자마자 군에 소집되어, 아들의 얼굴조차 익힐 기회가 없었다.

"사샤, 아빠가 오셨단다. 자, 아빠한테 인사해야지."

사샤는 낯선 사람이 자기를 안으려 하자 놀라서 한 손으로는 엄마 목을 부둥켜안고, 다른 한 손으로는 지바고의 얼굴을 때렸다. 그리고는 갑자기 울어 댔다.

"사샤, 그러면 못 써! 아빠한테 뽀뽀해 드려야지. 자, 울지 말고!"

"그만둬요. 애가 뭘 안다고. 사샤는 날 처음 보는 거잖아. 그러니 시간이 좀 필요할 거요. 사샤랑 금방 친해질 테니 걱정 말아요."

지바고는 좀 우울한 마음으로 방을 나왔다. 좋지 않은 예감이 들었던 것이다.

며칠 후, 지바고의 집에서는 오리와 보드카 파티가 열렸다. 지바고가 돌아온 것을 축하하기 위한 모임이었다. 그러나 전쟁 중에 오리 요리는 지나친 사치였다. 파티가 열리는 그 시간에도 많은 사람들이 굶주림으로 죽어 가고 있었으니까. 그런 까닭에 파티의 분위기는 무겁게 가라앉았다.

니콜라이와 지바고는 그 동안 두세 번 만나 실컷 이야기를 나누었다. 지바고는 삼촌이 냉정하면서도 차분하게 정치 이야기를 하는 것을 보고 놀랐다.

니콜라이는 러시아에 온 지 얼마 되지 않아 전쟁에 대해 정확히 알지 못했다. 지바고는 몇 번 더 삼촌을 만나고는 삼촌이 완전히 다른 사람이 되었다는 것을 깨달았다. 가끔 정치적인 견해 차이로 두 사람은 크게 말다툼을 하기도 했다. 사람들은 그런 니콜라이를 보고 타락했다며 수군거렸다.

9월 마지막 날이 되었다. 추운 날씨를 대비해 식량과 땔감을 준비할 때였다. 사람들은 겨울이 다가오는 것을 몹시 두려워했다.

지바고는 전에 근무하던 병원에서 다시 일을 하게 되었다. 그런데 병원에 근무하는 의사들도 파가 나뉘어졌다. 온건파에 속한 사람들은 지바고를 우둔한 사람이라고 나무라며 위험 인물로 여겼다. 그러나 진보파의 눈에도 역시 지바고는 미온적인 사람이었다. 그 결과 그는 어느 파에서도 동지로 인정받지 못했다.

그러던 어느 날, 지바고는 세레브랴니 거리에 쓰러져 있는 어떤 사람을 목격했다. 10월의 시가전이 있기 직전, 춥고 캄캄한 밤에 의식을 잃고, 길에 쓰러진 사람이었다. 그는 날치기를 당했다. 머리를 얻어맞아 피가 길바닥에 흘렀다. 다행히 두개골은 이상이 없었다.

지바고는 가까운 아르바트 거리의 약국으로 뛰어가 전화로 응급용 마차를 불러 그를 병원으로 옮겼다. 나중에 알고 보니 그 남자는 유명한 정치 지도자였다. 지바고는 그가 완전히 회복될 때까지 치료해 주었다. 그 후에 그 사람은 여러 가지로 지바고를 보살펴 주었다. 의혹과 음모가 많은 시대에 지바고는 그 사람으로부터 여러 번 도움을 받았다

금방이라도 눈이 내릴 것처럼 무거운 구름이 덮여 있고, 바람이 부는 추운 일요일이었다. 토냐와 지바고가 젖은 나무로 난로에 불을 지피려 애쓰고 있을 때, 니콜라이 삼촌이 숨을 헐떡이며 뛰어왔다.

"시가전이 벌어졌어. 임시 정부를 지지하는 사관학교 생도들과 볼셰비키를 지지하는 경비대 병사들 간에 싸움이 벌어졌어. 시내가 온통 난리야. 유리야, 한번 나가 봐라. 이건 역사란 말이다! 역사! 일생에 단 한 번밖에 없는 일이야."

하지만 두 사람은 그냥 눌러앉아 몇 시간 동안 잡담만 했다. 이번에는 미샤가 들어와 수선을 떨었다. 사태는 더 악화되고 있었다. 교전이 치열해서 지나가던 사람이 총에 맞아 죽기도 했다고 했다. 시내 교통도 마비 상태인데, 다행히 자기는 기적적으로 뒷골목을 빠져 나올 수 있었다고 했다. 그들은 밖으로 나가 보았다. 총탄이 빗발처럼 날아와 벽돌에 부딪히는 소리가 요란했다. 통행은 차단되었다.

그 무렵, 사샤는 심한 감기에 걸렸다.

"난롯가에 아이를 가까이 두면 안 돼. 추운 것보다 더운 게 아이한테는 더 나쁘다는 걸 몰라?"

지바고는 토냐에게 화를 냈다. 사샤는 목이 붓고 열이 심했다. 지바고가 진단해 보니 다행히 디프테리아는 아니었다. 그런데 사흘째 되는 날 사샤는 신경성 위막 후두염 증세가 나타났다. 열이 너무 심해 호흡도 제대로 못하였다.

지바고와 토냐는 아이를 번갈아 가며 껴안고 방 안을 서성거렸다. 우유와 탄산수가 필요했지만, 시가전이 너무 치열해 꼼짝할 수가 없었다. 시가전은 그칠 기미가 없었다. 목숨을 걸고 거리로 나간다 해도 약을 구할 곳이 있을지 의문이었다.

그러나 곧 승패의 판가름이 나기 시작했다. 노동자와 병사들 편이 우세하다는 소문이 돌았다. 그리고 어느 정도 교통도 회복되기 시작했다. 그래서 사흘 동안 지바고 집에 갇혀 있어야 했던 미샤와 니콜라이는 집으로 돌아갈 수 있었다. 그러나 시가전은 거리 몇 군데에서 계속되어 아직도 차단된 거리가 있었다.

어느 날 밤, 지바고는 친구 집을 찾기 위해 집을 나섰다. 그 거리는 늘 사람들이 붐비는 곳이었으나, 이제는 거의 사람이 보이지 않았다. 잉크 냄새가 풍기는 신문을 옆구리에 낀 신문팔이 소년이 '최신호' 라고 외치고 있었다.

지바고는 신문을 사서 가로등 밑에 서서 표제를 훑어보았다. 신문은 호외였다. 상트페테르부르크에서의 공식 발표가 실려 있었다. 인민위원회가 조직되어 러시아에 소비에트 정권과 프롤레타리아 독재가 수립된다고 했다.

그는 더 이상 신문을 읽을 수가 없었다. 눈보라 때문이 아니었다. 이 역사적인 사건에 충격을 받았기 때문이었다. 지바고는 친구의 집을 찾기로 했던 것을 잊어버리고, 다시 집으로 향했다.

그의 머릿속은 신문 기사로 가득 찼다. 집으로 오는 길에 그는 높이 쌓아올린 장작더미를 보았다. 이것은 정부가 교외에 있는 집들을 부수어 땔감으로 공급하는 것 같았다. 경비병 한 명이 소총을 들고 땔감을 지키고 있었다.

지바고는 경비병이 뒤돌아선 사이, 제일 밑에 깔린 무거운 대들보 하나를 몰래 빼내 집으로 가져왔다. 생각대로 집에는 땔감이 하나도 없었다. 지바고는 불을 지피고 난롯가에 쪼그리고 앉았다. 장인 그로메코 교수도 불을 쬐었다.

지바고는 외투 옆주머니에서 신문을 꺼내 펴들었다.

"이 신문 보셨어요? 한번 읽어 보세요."

지바고는 신문을 건네고 혼잣말로 중얼거렸다.

"정말 대수술이야. 메스로 단 한번에 곪은 상처를 도려내고 말다니. 이게 바로 러시아 민족의 진면목이지."

걱정스런 겨울이 왔다. 침울하고 배고프고 추운 겨울이었다. 이렇게 참혹한 겨울이 세 번이나 지나갔다. 낡은 생활과 새 질서는 아직도 조화를 이루지 못했다. 대립은 계속되고 있었다.

주택관리위원회를 비롯한 여러 조직, 관공서 등 도처에서 선거가 있었다. 독재 권력을 부여받은 위원들이 속속 임명되었다. 그들은 모든 것을 뜯어고쳤다. 그래서 회사나 기업들은 점차 적으로 볼셰비키 체제로 변해 갔다.

성십자 병원도 제2개혁 병원으로 이름을 바꿨다. 해고된 직원도 있었고, 대우가 나빠져 스스로 그만둔 직원도 많았다. 이들은 상류 사회에 단골 환자를 가진 수입이 좋은 의사들이었다. 그들은 자기 수입을 위해 병원을 그만두면서도 정치적인 동기로 그만두었다고 말했다. 그러면서 병원에 남아 있는 의사들을 경멸했다.

지바고는 병원에 남기로 했다.

많은 사람들이 먹을 것이 없어 청어 대가리를 넣어 끓인 수프를 먹었다. 청어의 몸통은 나중에 따로 먹거나, 통밀과 귀리와 섞어 죽을 만들어 먹었다.

어느 날 아침, 토냐는 지바고가 출근한 후에 겨울 외투를 걸치고 땔감을 구하러 나갔다. 집에 남아 있는 땔감은 장작 두 개비가 전부였다. 모스크바 근처의 농촌에서 농부들이 채소나 감자를 팔러 오는 경우가 있었다. 토냐는 이들을 만나야 했다.

구하려던 물건을 다행히 발견했다. 한 농부가 가느다란 자작나무 장작을 갖고 있었다. 그것은 벤 지 얼마 안 된 생나무였다. 하지만 이것저것 가릴 형편이 못 되어 비싸지만 트집을 잡지도 못하고 농부의 요구를 들어주어야 했다.

농부는 토냐에게 거울이 달린 작은 옷장을 달라고 했다. 아마도 자기 부인에게 주려는 것 같았다. 감자는 무엇을 주면 팔 수 있냐고 물었더니, 피아노를 달라고 했다. 집에 돌아온 지바고는 이 상황을 알았지만, 아무 말도 할 수 없었다.

"당신에게 편지가 왔는데 읽어 보셨나요?"

"병원에서 온 거 말이오? 급한 환자라 왕진을 가라는 편지?"

"왕진료로 독일제 코냑 한 병과 여자 양말 한 켤레를 준다고 하네요. 대체 어떤 사람들일까요? 아마도 벼락부잔가 봐요."

"아마, 매점자일 거요."

매점자란 개인 기업을 폐지한 정부가 경제가 악화된 때에 그들에게 별도의 특권을 주어 여러 가지 물자를 조달하는 책임을 맡긴 소규모 사업가였다.

지바고는 왕진을 나섰다. 거리는 온통 눈에 덮였다. 여기저기에 상점 간판들이 남아 있었지만, 상점 안에는 팔 물건이 없었다.

지바고가 왕진을 간 집은 시내 변두리에 있었다. 그 날은 마침, 이 집 거주자들의 총회가 있는 날이라 소비에트에서 여성 대표들이 참석해 있었다. 그 때 군사위원단이 무허가 무기를 압수하기 위해 나왔다.

지바고가 도착했을 때는 검사가 거의 끝나가고 있었다. 하지만 지바고가 왕진을 하게 된 집은 아직 수색 전이었다. 군사위원은 환자의 치료가 끝난 후에 수색을 하기로 했다. 주인이 지바고를 맞아 주었다. 그는 아내의 병과 가택수색이 겹쳐 몹시 당황해했다. 그의 아내는 티푸스에 걸려 있었다.

"부인은 티푸스가 분명합니다. 상태가 아주 심각하니 병원에 입원시키십시오. 몇 주일은 계속 치료를 받아야 합니다. 마차나 짐차가 있으면 어서 태우십시오. 입원 통지서를 만들어 드리겠습니다."

"정말 티푸스입니까? 이거 큰일났군요. 선생님, 입원을 시키면 아내는 죽고 말 겁니다. 집에서 치료를 받을 수는 없을까요? 자주 왕진해 주시면 원하시는 대로 무엇이든 다 드리겠습니다."

"그건 안 됩니다. 부인은 지금 위험합니다. 어서 마차를 구하십시오. 그리고 난 필요한 서류를 준비해야 합니다. 주택위원회 사무실에서 입원 통지서를 써야겠군요. 그리고 주택위원회 도장도 받아야 하니까요."

거주자들은 심문과 수색을 마치고 지하실로 모두 되돌아가, 주택위원회 회의를 다시 열고 있었다. 그들은 시끄럽게 떠들며 서로 자기의 주장을 말했다. 소란은 극도에 달해 있었다. 지바고는 주택위원회에 들어가 주택위원 한 사람을 만나게 해 달라고 부탁했다. 그러자 그 사람은 손을 나팔처럼 만들어 입에 대고는 소리를 질렀다.

"갈리울리나! 손님이 찾아왔어요."

지바고는 자기의 귀를 의심했다. 약간 허리가 굽은 늙은 여자가 지바고에게 다가왔다. 그 늙은 여자는 갈리울린과 너무 닮아 있었다. 지바고는 자기가 누구라는 사실을 알리지 않고 말했다.

"이 주택에 사는 사람이 티푸스에 걸렸습니다. 전염을 막기 위해 몇 가지 조치를 취해야 합니다. 우선 환자를 입원시켜야 하는데 제가 입원 통지서를 쓸 테니 위원회에서 확인해 주십시오. 실례하지만 혹시, 갈리울린 중위의 어머니가 아니십니까? 저는 아드님과 전선에서 같은 부대에 있었습니다."

그 말에 노파는 온몸을 부르르 떨더니 얼굴빛이 새파랗게 질렸다. 그녀는 지바고의 손을 덥석 잡으며 말했다.

"밖으로 나가 정원에서 이야기합시다."

노파는 정원으로 나가자마자 조그맣게 말했다.

"제발 목소리를 낮춰요. 아들이 중위라는 사실이 들통나면 난 끝이에요. 우리 아들은 길을 잘못 들었어요. 지금은 낮은 신분이 훨씬 유리하다는 것을 그 아이는 왜 모를까요? 그 애 아비는 전쟁에서 포탄을 맞고 죽었어요. 머리와 팔다리가 모두 날아갔대요."

그녀는 울음을 터뜨렸다. 그리고 잠시 후 다시 말을 이었다.

"갑시다. 마차를 준비해야죠. 나는 당신이 누군지 알아요. 아들 녀석이 이삼 일 여기에 있었거든요. 그 때 들었어요. 라라를 아신다고요? 라라는 좋은 처녀였지요. 마차 편을 부탁해야 하니까 이리로 오세요. 데미나가 잘 도와줄 거예요. 데미나는 라라 어머니 양장점에서 일하던 올리아죠. 데미나도 바로 이 집에서 살았답니다."

두 사람은 라라를 알고 있는 사람들이 많이 사는 집을 뒤에 남겨 두고 나왔다. 라라가 어린 시절에 자주 왔고, 라라의 남편인 파샤가 소년 시절을 보냈던 그 집을…….

노파는 지바고를 데미나에게 소개시켜 주었다.

데미나가 지바고에게 말했다.

"저는 라라를 좋아했어요. 올해 라라를 만났죠. 모스크바를 지나는 도중에 잠시 들렀어요. 같이 살자고 했는데 내 말을 듣지 않더군요. 라라는 진정으로 파샤를 사랑하지 않았어요. 라라의 운명이 그럴 수밖에 없었기 때문이죠. 그 때부터 정신을 차리지 못하더니 결국 이곳을 떠난 거예요. 라라에게는 라라의 오빠가 총살을 당했다는 걸 말하지 못했어요. 전에 나의 주인이었던 라라의 어머니는 내가 도와줄 수 있는 한 도와줄 거예요. 자, 저는 이만 돌아가겠습니다."

데미나의 안내로 지바고는 마차를 구할 수 있었고, 두 사람은 이렇게 헤어졌다.

지바고가 티푸스에 걸린 것은 훨씬 뒤의 일이었다. 그 동안 지바고의 살림은 비참했다. 그들은 돈 한 푼 없이 굶주리는 형편에 처했다. 지바고는 언젠가 강도를 당했던 사람을 찾아갔으나, 그도 가난하기는 마찬

가지였다. 지바고가 티푸스를 고쳐 준 그 가족의 행방도 묘연했다. 지바고가 공동 주택에 갔을 때 갈리울린의 어머니는 외출 중이었고, 데미나는 전선에 나가 있었다.

어느 날, 지바고는 장작을 배급받아 와야 했다. 그래서 그는 뜻밖에 생긴 귀한 장작을 들고 가다가, 다리에 힘이 없다는 사실을 깨달았다. 그는 자신이 티푸스에 걸렸음을 알았다.

그는 그만 길바닥에 쓰러졌고, 마부가 그를 장작더미 꼭대기에 올려주었다. 지바고는 어떻게 자기가 장작 위에 올라가고, 집까지 왔는지 전혀 기억이 나지 않았다.

지바고는 두 주일 동안 혼수 상태였다. 지바고는 꿈을 꾸었다. 지바고는 꿈에서 글을 쓰고 있었다. 언제나 쓰고 싶어하면서도 쓰지 못했던 것이었다. 그런데 어떤 청년이 그것을 방해했다. 눈매가 가늘고 순록의 털가죽 외투를 입은 청년이었다. 꿈 속에서 지바고의 글의 소재는 죽음도 부활도 아닌, 죽음과 부활 사이에 있는 '혼란' 이었다.

지바고는 회복되기 시작했다. 아내는 흰빵과 버터를 먹여 주었고 설탕을 넣은 커피도 주었다. 지바고는 이런 귀한 물건들을 어디서 구했는지 까맣게 모른 채 그 맛을 음미했다. 그러다가 기운이 생기면서 차츰 이상하게 생각되어 아내에게 물었다.

"어디서 이런 것을 구했소?"

"예브그라프가 가져왔어요."

"예브그라프가 누구지?"

"당신 이복동생 말예요. 옴스크에서 왔어요. 당신이 누워 있는 동안 날마다 여기를 찾아왔어요."

"혹시 순록 가죽 외투를 입었나?"

"맞아요. 그럼, 동생을 보셨군요. 그는 당신을 존경한대요. 당신이 쓴 글을 모두 읽었대요. 쌀, 건포도, 설탕 모두 다 당신 동생이 갖다 준 거예요. 그런데 지금은 다시 옴스크로 돌아갔어요. 우리 가족을 그리로 데리고 가고 싶대요. 그는 좀 이상한 데가 있고 신비해 보였어요. 제 짐작으로는 그 곳 정부와 줄이 닿아 있는 것 같아요. 그는 우리 가족이 도시를 떠나 1,2년쯤 시골에 가 있어야 한다고 하네요. 그래서 저는 크뤼게르의 영지인 바르이키노에 가고 싶다고 했어요. 거긴 외할아버지가 사시던 곳이잖아요. 거기 가면 여러 가지 채소도 가꿀 수 있을 거예요."

우랄행 기차

지바고의 가족은 떠날 준비로 부산했다. 지바고는 모스크바를 떠나 바르이키노로 가는 것에 반대했다. 이사해 봤자 소용 없다고 생각하고 아내의 마음이 돌아서기를 바랐다.

지바고는 가족 회의를 열어 자신이 걱정하는 부분에 대해 심각하게 이야기했다.

"우리는 지금 눈을 가린 채 아무것도 모르는 곳으로 가는 것과 같아요. 바르이키노에 살던 어머니와 할머니는 돌아가셨고, 크뤼게르 할아버지가 혹시 살아계셔도 인질로 그 집에 갇혀 있을지도 몰라요. 할아버지는 전쟁이 끝나던 해에 모든 재산을 가매각해서 등기 이전했다고 했어요. 사실, 우리는 그 거래에 대해 잘 몰라요. 지금 그 농장이 누구 것인지도 잘 모르고요. 예전의 관리인이었던 미쿨리친이 우리를 도와줄지도 모르지만, 아직도 바르이키노에 살아 있는지조차 모르죠. 우린 다만 그 사람의 이름만 알 뿐이에요."

하지만 토냐와 장인은 모스크바를 떠나겠다고 했다. 결국 지바고도 식구들의 의견에 따를 수밖에 없었다.

지바고는 야로슬라브스키 역으로 여행에 관해 문의하러 갔다. 안내원이 말했다.

"여행 증명서를 받아 와야 해요. 그리고 기차가 있는지 없는지 매일 와서 알아봐야 하고요. 요즘은 기차가 드물어 운이 좋아야 탈 수 있답니다. 뭐, 약간의 기름과 술을 준다면 자리를 알아봐 줄 텐데……."

그 무렵, 지바고의 장인 그로메코 교수는 마음에는 없지만 간곡한 부탁으로 최고 인민 경제회의의 고문역을 맡고 있었다. 지바고도 정부 요원의 환자를 치료해 준 일이 있어 최고의 보수를 받았다. 최고의 보수란, 배급소에 들어온 물건을 우선적으로 구입할 수 있는 배급표를 얻은 것이었다. 지바고와 그의 장인은 배급소로 가서 구하기 힘들었던 밀가루, 마카로니, 설탕, 기름, 치즈 등을 받아 왔다.

지바고와 그로메코 교수가 관공소에 다니면서 여행 증명서 교부를 위한 서류들을 준비하고 있을 때, 토냐는 짐을 챙겼다. 대부분은 여행 도중에 쓸 것과, 그 곳에 도착해 처음 얼마 동안 물물교환을 할 수 있는 물건들이었다.

출발 전날 눈보라가 몰아쳤다. 짐을 꾸리는 일은 다 끝났다. 여러 가지 물건을 남겨 둔 방은 전에 점원으로 일하던 부부에게 부탁했다.

지바고 가족은 이 곳에서의 생활들을 떠올렸다. 지바고는 자기의 소년 시절과 어머니의 죽음을, 토냐와 장인은 안나 부인의 죽음을 생각했다. 이 집에서의 마지막 밤이었다. 다시는 이 집에 오지 못할 것이라고 생각한 이들은 마음이 아팠다. 하지만 서로 아무렇지도 않은 표정을 지었다.

새벽녘에 그들은 집을 나섰다. 뜰 안은 아직도 어둑어둑했다. 바람은 잠잠해졌지만, 눈이 많이 내리고 있었다. 굵직한 눈송이가 공중에서 너풀너풀 춤을 추고 있었다. 거리에는 사람의 그림자 하나 보이지 않았다.
드디어 새로운 거주지로 떠나는 기차에 올랐다. 지바고의 가족은 다행히 화물차의 윗단 왼쪽 구석을 차지할 수 있었다.
토냐는 기차가 역에 도착할 때마다 약간 열린 문틈으로 밖을 내다보았다. 그 역이 물물교환을 할 수 있는 곳인지, 정차하는 시간이 넉넉한지를 살피는 것이었다.
마침내 기회가 왔다. 토냐는 짐꾸러미 속에서 수를 놓은 타월 한 장을 꺼냈다. 지바고가 먼저 뛰어내려서 아내를 부축하여 바닥에 내려 주었다. 토냐는 기차가 멈추기도 전에 발자국도 나 있지 않는 눈 위로 뛰어내려 쏜살같이 달려갔다.
역 근처에 시골 여인들이 음식을 암거래하고 있었다. 아낙네들은 담벼락에 늘어서서 오이, 치즈, 삶은 쇠고기, 핫케이크 등을 팔았다.
토냐는 어깨에 타월을 걸치고 역 뒤로 달려가 토끼 고기와 타월을 바꿨다. 시골 여인은 나름대로 이득을 봤다고 생각했는지 흐뭇한 미소를 지었다.

14호 차량에는 징집 노무자 몇 사람이 타고 있었다. 호송병 보로튜크가 징집 노무자들을 감시했다. 노무자 중에 세 사람이 눈에 띄었다. 한 사람은 상트페테르부르크 국영 주점의 카운터였던 프리툴리에프다로, 사람들은 그를 카운터로 불렀다.
한 사람은 철물점에서 일하던 열여섯 살된 남자아이 바샤였다. 그리고 또 한 사람은 백발의 혁명적 협동조합주의자 코스토예드였다.
그들은 처음 보는 사이였지만 차츰 친해졌다. 카운터와 바샤는 같은 고장 출신이었다.
얼마 후 기차는 그들의 고향 마을을 통과하게 되었다.

프리툴리예프는 건달로 땅달보에 곰보였다. 그는 몇 시간 동안 돌처럼 움직이지 않고 앉아 생각에 잠겨 있었다.

지난 해 가을 어느 날, 그는 거리를 걷다가 민경대의 가두 검문에 걸려, 신분 증명서를 보여 주어야 했다. 어쩌다 4급 배급표를 갖고 있는 것이 발각되어 그는 유치장으로 호송되었다. 전선에 참호를 파는 일로 호송될 예정이었는데, 방향을 바꾸어 모스크바를 경유해 동부 전선으로 가게 되었다.

그런데 이 남자는 사생활이 좀 복잡해서 아내 말고도 탸구노바라는 여자와 동거를 했다. 탸구노바는 몸집이 풍만하고 손이 예뻤다. 탸구노바는 사랑하는 남자를 따라가려고 자원해서 노무자로 나섰다.

이 찻간에는 오르이즈코바라는 여자도 타고 있었다. 이 여자도 프리툴리예프를 따라 온 것이다. 그녀는 눈썹이 희고 깡말랐다. 탸구노바는 그녀에게 뻔뻔스럽다며 온갖 욕을 해 댔다. 연적 관계인 두 여자는 서로 마주치지 않으려고 노력했다. 아무튼 못생긴 프리툴리예프에게 여자들이 따르는 것은 수수께끼였다.

바샤는 좀 달랐다. 바샤의 아버지는 전쟁터에서 죽었고, 어머니는 바샤를 기술을 배우게 하려고 삼촌 댁으로 보냈다. 바샤의 삼촌은 철물점을 경영했다.

작년 겨울 어느 날, 소비에트에서 알아볼 일이 있다고 삼촌을 불렀다. 그런데 삼촌은 사무실 입구를 잘못 들어가 노동 징집위원회 사무실로 들어갔다. 그 곳은 징집 노무자들로 가득 찼다. 그리고 삼촌은 얼떨결에 징집 노무자가 되어 볼로그라다행 열차를 타고 호송되게 되었다.

열차가 떠난다는 소식을 듣고 바샤와 숙모는 역으로 나갔다. 삼촌은 잠시 가족들을 만나게 해 달라고 애원했지만, 감시병은 도망갈 수 있다는 이유로 거절했다. 그래서 삼촌과 숙모는 바샤를 인질로 해서 잠시 만나겠다고 했다. 그 감시병이 바로 이 열차에 탄 호송병인 보로뉴크다. 결국 보로뉴크는 바샤를 인질로 하고 삼촌을 보냈다. 바샤가 삼촌을 본 것은 그것이 마지막이었다. 삼촌에게 속았다는 것을 안 바샤는 울음을 터뜨렸다. 바샤는 억울하게 노무자가 된 것이다.

협동조합주의자 코스토예드가 바샤의 딱한 사정을 듣고, 호송 대장과 담판을 했다. 하지만 대장은 착오였다는 것을 시인하면서도 바샤를 풀어 주는 것은 절차상 어렵다고 말했다. 그러나 목적지에 도착하면 어떻게 해 보겠다고 대답했다.

지바고는 협동조합주의자 코스토예드를 저녁 식사에 초대했다. 그는 지바고 가족이 있는 구석에 앉아 토끼의 앞다리를 뜯었다. 그리고 자연스럽게 농민에 대한 이야기를 하게 되었다.

"지바고 선생, 농민들이 비참하다고 생각하지 마십시오. 그것은 경솔한 생각입니다. 저 역들을 보십시오. 저 암시장 속에서 살아 보겠다고 애쓰는 아낙네들을 보십시오. 어디서든 이렇게 생활은 이루어지고 있습니다. 그리고 그 중에는 행복한 사람들도 많습니다. 모두가 비참한 것은 아니지요."

"그렇지 않아요. 농민 봉기가 마을마다 일어나고 있어요. 그들의 적은 백위군이나 적위군이 아닙니다. 그들은 권력이 있는 사람들과 싸우는 것입니다. 농민들은 혁명으로 눈을 떴을 때, 오랫동안 꿈꾸던 세상이 올 줄 알았습니다. 그들은 자기들의 희망이 실현될 것으로 믿었습니다. 그 꿈은 완전히 독립되어 자기네 땅에서 농토를 가꾸며 일하는 것이었습니다. 그러나 혁명 정부는 오히려 농민들을 더 힘들게 했습니다. 지금 농촌이 동요하고 있습니다. 내가 보기에 당신은 농민들의 실제 생활에 대해 관심이 없는 것 같습니다."

"맞습니다. 그리고 사실 알고 싶지도 않습니다. 무엇 때문에 내가 그들의 고민을 알아서 골치를 썩어야 합니까? 나는 무슨 일이 일어나든지 그저 순응할 겁니다. 그게 편하게 목숨을 부지하는 방법이니까요. 나는 농민이 부자가 되어 가고 있다고 믿습니다. 그것이 착각이라도 좋습니다. 난 살아가야 합니다. 난 가족이 있는 사람입니다."

지바고는 그와의 논쟁에 대한 마무리를 장인에게 맡기고, 절망적인 표정으로 일어났다.

지바고는 바샤와 프리툴리예프가 무엇을 하는지 보았다. 그들은 기차역이 고향에 가까워지자, 무척 좋아하며 자기네 집으로 가는 길을 찾고 있었다.

"저기가 바로 우리 고향이에요."

그들은 두 눈을 반짝이며 목소리를 높여 말했다.

열차가 중부 러시아를 지나 동쪽으로 가는 동안, 여러 가지 사건이 일어났다. 기차는 폭동이 일어났다가 곧 진압된 지역을 지나, 무장한 폭도들이 우글거리는 지역을 지나게 되었다. 들판 한가운데서 기차가 자주 멈춰 섰고 치안 순찰대가 승객의 신분 증명서와 짐을 조사하는 일도 잦아졌다.

기차는 폐허가 된 역에 멈춰 섰다. 역과 마을은 화재로 모든 것을 잃었다. 역 건물 뒤쪽에 있는 마을도 화재를 당했다. 그래도 다행히 역장이 폐허 속에서 나타났다. 차장이 열차에서 내려 역장을 위로했다.

"전부 타 버렸군요."

"네, 우리는 화재를 당했어요."

"무슨 일입니까? 혹시 스트렐리니코프 얘기는 아니겠죠?"

"바로 그 사람입니다."

"당신들이 무슨 잘못을 저질렀나요?"

"아니오. 우린 아무런 잘못이 없습니다. 우리 때문이 아니라 옆 마을 때문이죠. 그 마을 사람들이 빈농위원회를 해산시키고, 적위군에게 말을 주는 것을 거절했어요. 그리고 동원령에도 항거했지요. 그래서 이렇게 폭격을 당했답니다."

"이런……."

"어쨌든 지난 이야기입니다. 그런데 여기서 2,3일 정도 더 정차해야 할 것 같습니다."

"무슨 말씀이십니까? 우린 무척 바쁩니다. 지금 부대를 수송하는 길입니다. 한시도 지체할 수가 없어요!"

"오랫동안 눈보라가 계속되는 바람에 선로에 눈이 쌓여 기차가 지나갈 수 없습니다. 눈을 치워야 합니다."

"제기랄! 승객들을 모두 동원해야겠군요. 한 7백 명 정도 됩니다."

"그 정도라면 충분합니다. 어서 시작합시다."

철길에 쌓인 눈을 치우는 데는 꼬박 사흘이 걸렸다. 그 때가 여행 중 가장 즐거운 시간이었다. 풍경은 마치 동양화의 한 폭 같았다. 눈을 치우는 일에 동원된 사람들은 몇 개 반으로 나누었다. 징집 노무자는 민간인과 격리되었고, 무장한 병사들이 각 반을 감시했다.

사람들은 온종일 바깥에서 눈을 치우다가 잠을 잘 때만 기차 안으로 들어갔다. 적당한 노동은 승객들에게 단잠을 주었다.

지바고가 작업하던 곳의 경치도 아름다웠다. 언덕 위로 외딴집이 보였다. 한여름이면 수목이 울창해서 숲이 우거질 것 같았다. 지바고는 문득 생각에 잠겼다.

'저 집에는 어떤 사람이 살고 있을까? 혹시 토지위원회에 접수되어 빈집이 된 것은 아닐까? 저 집에 살던 사람들은 어떤 사람들일까? 지

금은 어디에 살고 있을까?'

제설 작업을 하는 사흘 동안이 즐거운 이유는 또 있었다. 저녁에 밀가루로 구운 따끈따끈한 빵이 배급되었다. 누구의 명령으로 그 빵을 만들었고, 누가 배급하는지는 알 수 없었지만 사람들은 제법 맛있는 빵을 먹는 게 기뻤다.

눈더미를 마지막으로 치우자, 아스라이 펼쳐져 있는 철길이 보였다.

기차가 잠시 후 출발할 것이라는 소식이 들렸다. 지바고 부부는 다시 한 번 눈을 치운 선로를 보려고 기차에서 내렸다. 철로에는 아무도 없었다. 부부는 먼 곳을 바라보며 잠시 서 있다가, 몇 마디 말을 주고받고는 다시 되돌아갔다.

돌아오는 도중에 그들은 마구 욕을 하며 싸우는 두 여자의 목소리를 들었다. 그 목소리의 주인공은 연적인 오르이즈코바와 탸구노바였다. 탸구노바는 오르이즈코바를 쫓아다녔고, 그녀를 잡을 때마다 주먹으로 때리는 것 같았다. 그리고 심한 욕을 퍼부어 댔다.

날씨도 경치도 모든 것이 갑자기 달라졌다. 들판이 끝나자 기차는 산악 지대를 달렸다. 줄곧 불던 북풍이 잠잠해지고 남쪽에서 따뜻한 바람이 불어왔다. 그러나 볼 만한 것은 하나도 없었다. 숲은 아주 평화로운 겨울잠에 빠져 있었다.

지바고는 잠에 취해 있었다. 며칠 동안 그는 잠만 잤다. 지바고가 실컷 잠을 자고 있는 며칠 사이에 어느덧 봄이 왔다.

봄기운이 언 땅 위에 내린 눈을 녹였다. 눈은 속에서부터 조용히 녹기 시작하여 어느 새 콸콸 우렁찬 물소리를 냈다. 인적이 닿지 않는 숲의 안쪽에서 만물이 기지개를 켰다. 지바고는 잠에서 깨어나 주위를 둘러보며 봄이 오는 소리에 귀를 기울였다.

광산 지대가 가까워지면서 마을의 수가 많아지자 기차가 정거하는 역도 많아졌다. 승객들이 내리면 새로운 승객들이 올라탔다. 이들은 자기들끼리 지방에서 일어나는 사건들을 나직하게 이야기했다.

지바고는 그들이 하는 이야기를 종합해 본 결과, 북쪽으로 갈수록 백위군이 우세하다고 판단했다. 유리아틴은 이미 점령되었거나 가까운 시일 안에 점령당할 것이라고 생각되어졌다. 또한 멜류예제보에서 헤어진 갈리울린이 백위군을 지휘하고 있다는 사실도 알게 되었다.

지바고는 새벽녘에 눈을 떴다. 즐거운 꿈을 꾸었고, 꿈 속의 해방감과 행복이 사라지지 않았다. 기차는 움직이지 않고, 어느 역에선가 정차했다. 어디선가 폭포같이 물 떨어지는 소리가 났다. 그 소리를 들으며 지바고는 다시 잠들었다. 공기는 전보다 상쾌해졌고, 투명하고 달콤한 향기를 풍겼다. 지바고는 '들벚꽃이야.' 라고 꿈 속에서 생각했다.

다음 날, 토냐가 지바고에게 말했다.

"당신, 어쩜 그렇게 잠을 잘 자요? 얼마 전까지는 파리 한 마리가 웽웽거려도 잠을 못 잤으면서요. 소동이 일어나 그렇게 깨웠는데도 소용이 없더군요. 프리툴리예프와 바샤가 도망쳤어요. 그리고 연적인 탸구노바와 오르이즈코바도요. 그것뿐 아니에요. 보로뉴크도 도망갔어요. 그런데 따로따로 도망을 갔는지 함께 갔는지는 모르겠어요. 보로뉴크는 사람들이 도망친 것을 알자 자기 목숨이 위험하니까 무서워서 도망간 것 같아요. 호송 대장이 미친 사람처럼 찻간을 다니며 소리쳤어요. 절대 기차를 출발시킬 수 없다고요. 도망간 놈을 찾을 때까지 출발해서는 안 된다나. 차장은 펄쩍 뛰었죠. 보충 부대를 소송해야 하는 데 어떻게 몇 명 때문에 지체하냐고요. 이제 그 이야기는 그만두기로 하고, 창 밖 좀 보아요. 경치가 너무 아름답지요?"

봄이 오고 있었다. 창 밖으로 넓은 들판이 한눈에 보였다. 그 때 저

멀리 호수 한가운데로 오리 떼가 지나가고 있었다.

"저것 봐! 오리 떼야."

그로메코 교수가 외쳤다.

"와, 보여요! 보입니다. 아버님."

지바고가 말했다.

"저, 아버님께 말씀드릴 게 있습니다. 아니, 나중에 하기로 하지요. ……. 징집 노무자와 여자들은 잘 도망친 거예요. 그들은 악한 사람들이 아니니 나쁜 짓은 하지 않을 겁니다. 그들은 자유롭게 살기를 원했던 거예요."

북극의 백야는 끝나가고 있었다. 들벚꽃이 여기저기서 조금씩 피어나고, 나무 잎사귀들이 돋아나고 있었다. 폭포는 그다지 멀지 않은 숲 너머 계곡 끝에 있었다. 바샤는 폭포를 보려고 걸어갔다. 너무 오래 걸어서 지쳤지만 경치에 넋을 잃었다.

"이제 그만 가요, 아주머니. 너무 추워서 이빨이 부딪쳐요. 마을까지는 한참 가야 해요. 우릴 숨겨 줄 거예요. 그 사람들이나 우리나 같은 처지잖아요. 이렇게 가다가는 굶어 죽겠어요. 이틀 동안 우리는 아무것도 먹지 못했어요. 보로뉴크 아저씨는 우리가 달아난 것을 알고 소동을 피웠겠지요? 아마도 기차 안은 우리를 찾으려고 난리가 났을 거예요. 너무 걱정하지 마세요. 슬퍼하지도 마세요. 아주머니가 오르이즈코바 아주머니를 일부러 기차에서 밀어 떨어뜨리지 않았다는 사실을 저는 알아요. 오르이즈코바 아주머니가 들판에서 일어나 도망치는 것을 내 눈으로 똑똑히 보았어요. 그 아주머니와 프리툴리예프 아저씨는 우리를 뒤따라올 거예요. 그러면 모두 다시 만날 수 있어요."

탸구노바는 바샤의 손을 꽉 잡으며 말했다.

"고맙다, 바샤."

기차는 가파른 언덕을 따라 산 속을 달렸다. 얼마 후 기차는 홍수에 떠내려온 통나무를 쌓았던 장소에 닿았다. 숲 속에는 나무를 베어간 흔적이 남아 있었다. 사방에 나무조각과 톱밥이 있었고, 한가운데 나무더미가 있었다.

사람들은 연료를 위해 기차가 정지한 것을 알았다. 숲 속 빈터에 쌓여 있는 장작만으로는 탄수차(증기 기관차 뒤쪽에 있는 석탄과 물을 싣는 차량)를 채울 수 없어 긴 통나무를 자르기로 했다.

사람들은 두 사람당 하나씩 톱을 받아 일을 하기 시작했다. 수군들은 기차 안에서 나오지 않았다. 그들은 모두, 곧 싸워야 한다는 것을 알고 있었다. 수군들은 서로들 웃고 떠들면서 가까이에 다가온 공포와 두려움을 애써 외면하려 했다.

"천천히 하세요. 금방 지치겠어요."

지바고가 장인에게 말하자 장인은 톱을 천천히 움직였다.

"자네, 나한테 하고 싶은 말이 있다고 했지?"

그로메코 교수가 물었다.

"아, 그랬지요. 어떻게 말씀을 드려야 할까요. 우리가 사는 세상은 원래 바라는 의도에서 벗어나고 있는 것 같아요. 우리는 곧 목적지인 바르이키노에 도착합니다. 그런데 그 곳 상황에 대해 아는 것이 하나도 없어요. 만약을 대비해서 대책을 세워야 하지 않을까요?"

"알았네, 자네가 무슨 말을 하려는지 감을 잡았네. 정치에 대한 이야기로군. 자네가 정부 포고문이 실린 신문을 나에게 준 적이 있지. 그 포고문은 처음에만 순수했어. 그 정권은 이제 우리에게 냉정히 등을 돌렸어. 그러나 난 그들에게 신임을 얻었고, 내가 자유롭게 선택하지는 않았지만, 그로 인해 나는 어떤 의무를 갖게 되었지. 우리는 채소를 키우기 위해 새로운 곳으로 가는 게 아니라네. 우리가 그 곳을 찾는 것을 어떻게 표현할 수 있을까? 어떻게 해서 돈을 벌 수 있을지도 몰라. 하지만 옛날처럼 그렇게 되지는 않을 거야. 이제 러시아는 사유 재산의 시대가 끝나 버렸으니까."

차 안은 몹시 덥고 후텁지근해 잠을 이룰 수가 없었다. 지바고는 땀투성이가 되었다.

지바고는 다른 사람들의 잠을 깨우지 않으려 살짝 침상에서 내려와 찻간의 문을 열었다. 너무 고요해서 공허하고 허전한 느낌마저 감돌았다. 무슨 소리가 희미하게 들렸다. 멀리 앞쪽에서 무엇인가 굴러가는 소리가 났다. 지바고는 전선에서 근무하던 생각이 나서 부르르 몸을 떨었다. 지바고는 그 소리가 장거리포라고 단정지었다.

'틀림없어! 대포 소리야. 우리는 전투하는 곳 가까이까지 온 거야.'

그는 철로로 내려갔다. 몇 걸음 앞으로 걸어가다 열차가 끊어진 사실을 알았다. 그 차량 앞에는 기관차도 없었다. 기관차는 수병이 탄 차량만을 끌고 어느 전선으로 가 버린 것이다.

지바고는 철로를 가로질러 정거장으로 가는 길을 찾았다. 그 때 총을 든 군인이 불쑥 나타났다.

"어디로 가는 거요? 통행증을 봅시다."

"여기가 무슨 역이오?"

"그런 건 알아서 뭘해? 당신은 뭐하는 사람이오?"

"난 모스크바에서 온 의사요. 가족과 함께 이 기차에 타고 있어요. 자, 여기 신분증이 있소."

"이렇게 캄캄한데 글을 어떻게 읽는단 말이오. 어서 돌아가시오."

그 때 또다시 대포 소리가 들려왔다.

지바고는 열차를 따라 걸어 강 언덕까지 올라갔다. 그리고 거기서 강물에 떠 있는 작은 배를 보았다. 강물은 잔물결을 출렁이며 천천히 흐르고 있었다.

"누구의 허가를 받고 여기를 서성거리는 거요?"

다른 보초병이 말했다.

"이 강의 이름이 뭡니까?"

보초는 대답 대신 호루라기를 불어 다른 보초를 부르려다 그만 두었다. 아까 만났던 보초가 지바고를 따라와 바로 뒤에 서 있었기 때문이다. 두 보초병은 무슨 말인가를 주고받았다.

"'여기는 어느 역이고, 이건 무슨 강입니까?' 라고 묻는 것은 우릴 속이는 거야. 자, 이놈을 처치할까? 아니면 먼저 대장에게 데리고 갈까?"

두 번째 보초가 누군가에게 말했다.

"어이, 이 사람을 감시해 주게."

이렇게 말하고는 두 사람은 정거장을 향해 갔다. 세 번째 사람은 어부였다. 그는 강가에 누워 있다가 지바고에게 와서 걱정하지 말라고 했다.

"당신을 대장한테 끌고 간다니, 당신은 운이 좋아요. 목숨을 구할지도 모르니까요. 저 사람들을 나쁘게 생각하지 말아요. 자기들의 임무를 다하고 있는 거예요. 저들은 사람을 잘못 본 거예요. 누굴 찾으려고 혈안이 되어 당신을 그 사람으로 오해한 거죠. 노동자의 적을 잡았다고 생각한 거지요. 하지만 잘못 본 거예요. 무슨 일이 있어도 대장을 만나게 해 달라고 해요."

지바고는 나중에 이 강이 린바라는 유명한 수로이며, 이 역은 유리아틴 교외의 공업 지대인 라즈빌리예 마을이란 것을 알았다. 유리아틴은

이 곳 상류 쪽에 있고, 한동안 전투가 있었는데 백위군이 탈환한 지 얼마 되지 않았다는 소식도 들었다.

어부는 라즈빌레예에서 폭동이 일어나 진압되었는데, 역 주변은 통행 금지령이 떨어졌고 교통도 차단되었다고 말해 주었다. 그는 역 구내에 정차하고 있는 열차에 군 사령부가 있고, 그 곳 지방 군사 위원인 스트렐리니코프의 특별 열차도 있다고 했다. 또한 아까 그 보초병들이 지바고의 증명서를 그에게 가져갔을 거라고 이야기해 주었다.

잠시 후, 두 보초병이 와서 지바고를 스트렐리니코프가 있는 특별 열차로 데리고 갔다.

보초병은 지바고를 넓은 방으로 데리고 갔다. 그 방은 깨끗하고 조용했으며 정돈이 잘 되어 있었다. 그 방에는 용모가 단정한 사람들이 업무를 보고 있었다. 출입구에서 보니 지바고의 증명서가 책상 위에 놓여 있었다. 전기 기술병이 마룻바닥을 기어다니며 끊긴 전화선을 수리하고 있었다. 지바고는 이 광경을 보면서 긴장을 조금 풀었다.

창문 밖으로 철길과 언덕 위에 있는 정거장과 라즈빌리예 교외 지구가 내다보였다.

모스크바에 살았던 지바고는, 모스크바 외의 다른 도시에 많은 상점과 간판이 남아 있다는 것을 생각해 본 적이 없었다. 여기서 몇 킬로미터 더 가면 지방의 큰 도시가 있었다. 멀리 그 도시가 보였다.

'아, 저기가 유리아틴이구나!'

지바고는 마음속으로 탄성을 질렀다.

'장모와 라라가 자주 얘기했던 도시지. 그 도시를 여기서 이렇게 보게 될 줄은 정말 몰랐어.'

이런 생각을 하고 있을 때, 군인들의 주위가 일제히 창 밖으로 쏠렸다. 지바고도 그쪽을 보았다. 포로들이 호송되어 역의 층계를 오르고 있었다. 그 중에는 머리에 부상을 입은 중학생 교복 차림의 소년도 있었다. 응급 처치는 받았지만, 붕대에서 피가 스며 나오고 있었다. 소년의 얼굴은 검게 그을렸고, 땀과 피로 범벅이 되어 있었다.

그 때 지바고는 누군가 성큼성큼 다가오는 소리에 얼굴을 돌렸다. 스트렐리니코프였다. 의사로서 많은 사람들을 대했던 지바고는 여태까지 이토록 뚜렷한 인상을 남기는 사람을 본 적이 없었다. 그 이유는 무엇일까?

그 남자는 거의 모든 것이 정확하고 완벽해 보였다. 균형 잡힌 단정한 머리, 걸음걸이, 긴 다리, 말쑥한 군복, 모든 것이 인상적이었다. 그는 이 세상의 어떤 위기에 부닥치더라도 침착성을 잃지 않을 것처럼 보였다.

스트렐리니코프는 마치 동료를 대하듯이 부하에게 말했다. 아마 낯선 사람 앞에서 예의를 차렸는지도 모른다.

"다 함께 축하하세. 우리가 이겼어. 이건 전쟁이 아니라 전쟁놀이 같군. 하기야 놈들도 같은 러시아 인이니까. 다만, 잘못된 생각을 깨끗하게 청산하지 못해서 우리가 맛 좀 보여 준 거지. 그놈들의 사령관은 나의 오랜 친구인데 나보다 더 분명한 노동자였어. 그와 난 한집에서 자랐고, 예전에 그 친구의 신세도 많이 졌어. 그런데 나는 그를 격퇴하고 이렇게 기뻐하다니. 구리얀! 빨리 전화선을 연결해 봐. 전화를 해야 해. 전보나 전령만으로는 안 되겠어. 오늘은 꽤 더운걸."

그는 말을 마치고 날카로운 눈으로 지바고를 살폈다.

'멍청한 보초병들! 전혀 닮지 않은 사람을 데리고 오다니.'

그는 큰 소리로 웃으며 지바고에게 말했다.

"이거 대단히 큰 실례를 했습니다. 부하가 사람을 잘못 보았습니다.

이제 기차로 돌아가셔도 좋습니다. 서류는 여기 있습니다. 어디 잠시 볼까요? 지바고……. 의사 지바고. 웬지 모스크바에서 오신 것 같군요. 내 방으로 가실까요? 오래 걸리지는 않습니다."

스트렐리니코프는 어떤 사람일까? 그가 지금의 자리까지 올라가 그 자리를 지탱하고 있다는 것만으로도, 결코 평범한 사람은 아닐 것이다. 그는 당원도 아니었고, 널리 알려진 인물도 아니었다. 그는 모스크바에서 태어나 대학을 졸업하고 곧 지방으로 가서 학교 교사로 일했다. 전쟁 중에 포로가 되어 전사한 것으로 되어 있었다.

그가 독일군에게 도망쳐 나온 것은 최근의 일이다. 그를 추천한 사람은 진보적인 정치 사상을 가진 철도 노동자 티베르진이었다. 스트렐리니코프는 소년 시절, 티베르진 집에서 살았다.

그는 너무 순수해서 돋보였다. 그리고 당국의 노선에서 전혀 벗어나지 않았다. 북부에서 백위군의 압박이 강해지고 정세가 어려웠을 때 그는 군사, 전략 등의 임무를 맡아 즉시 자기의 실력을 발휘했다.

스트렐리니코프는 모스크바 태생이었다. 그의 아버지는 1905년 혁명에 참가해 투옥되었다. 스트렐리니코프는 혁명에 참가한 경험이 없었다. 나이가 너무 어렸고, 대학에서 공부를 하고 있었기 때문이다.

그는 대학에서 인문과학의 학위를 받고, 독학으로 수학과 과학을 공부했다. 병역을 면제받았지만 군대에 지원해 소위로 임관했고, 전선에 가서 포로가 되었다. 러시아에서 혁명이 일어났다는 것을 알고 1917년에 독일 군에게서 탈주해 러시아로 귀국했다.

"지바고, 모스크바 의사가 바르이키노 같은 시골로 가다니……. 이상하군요. 왜 시골로 가는 거죠?"

"그냥 조용하게 살고 싶어서요."

“참 낭만적이군요. 바르이키노라고 하셨죠? 나도 그 곳을 알아요. 이전에는 크뤼게르네 영지였죠. 혹시 당신은 그의 친척이나 상속인이 아닌가요?”

“나는 그 사람이랑 아무 관계가 없어요. 하긴, 제 아내가 상속인이긴 합니다…….”

“당신이 만약 백위군에 대한 향수를 갖고 있다면, 실망할 겁니다. 우리는 그 지역을 소탕했으니까요! 나는 아까 당신을 석방한다고 했지요. 약속을 번복하지는 않겠습니다. 그러나 당신을 다시 만날 것 같은 느낌이 드는군요. 조심하시오.”

하지만 지바고는 그의 위협에 동요하지 않았다.

그 때 전화벨이 울렸고, 두 사람의 대화는 중단되었다. 전화선을 고친 것이다. 스트렐리니코프는 지바고를 보내고 전화를 걸었다.

“호송된 포로 중에 중학생이 있지? 필요하다면 치료를 해 주게. 음식도 주고.”

그는 생각했다.

‘혹시 내가 가르친 학생인지도 몰라. 자기 선생인 나와 싸우다니…….’

포로가 된 소년이 그가 가르친 학생인지 확인해 보려고 그는 교사를 그만둔 햇수가 얼마나 되는지 손가락으로 헤아려 보았다. 그리고 차창 너머 지평선으로 유리아틴의 한 모퉁이를 바라보았다.

‘저기에 아내와 내 딸이 아직도 살고 있을까? 우리는 다시 만날 수 있을까? 하긴 마음만 먹으면 지금 당장이라도 가능하지. 하지만 만나서 어떡하지? 아내와 딸은 이제 나와 별개의 인생이야. 나는 새로운 인생을 살아가야 한단 말야. 예전 시절로 되돌아갈 수 있을까? 언젠가는 돌아갈 날이 있겠지. 꼭 돌아간다. 그 날은 과연 언제일까?’

도 착

지바고는 보초병의 호의를 받으며 자기 찻간으로 돌아왔다. 무더운 날씨였다. 햇볕은 기차의 지붕 위와 선로를 뜨겁게 달궜다. 보초병이 나직하게 말했다.

"봄 파종을 할 때가 되었어요. 귀리, 보리, 수수를 심기에 꼭 알맞은 때지요. 이놈의 내란만 없었다면, 난 아마 지금 고향에 있겠지요."

지바고가 객차에 도착하자 사람들은 그가 아무 일 없이 무사히 돌아온 것을 기뻐했다.

"당신이 별일 없을 거라는 것을 우린 모두 알고 있었어요."

"무얼 알고 있었다는 거지?"

"보초병이 말해 주었어요. 그렇지 않았다면 우린 제정신이 아니었을 거예요. 새로운 사람들이 기차를 탔어요. 모두 당신 걱정을 해 주었어요. 바로 저기 계신 분도요."

"삼데뱌토프라고 합니다."

소리나는 쪽을 바라보니 중절모자를 쓴 남자가 지바고에게 다가오며 악수를 청했다.

"스트렐리니코프가 한참 을러대지 않던가요? 솔직히 말해 주세요."

"아니오. 그 정반대였습니다. 우리는 진지한 이야기를 나누었습니다. 그는 괜찮은 사람 같던데요."

"그럴 테지요. 나도 그의 인품을 조금 압니다. 그는 모스크바 사람입니다."

"여보, 삼데뱌토프 씨는 모르는 게 없어요. 당신에 대해서도 당신 아버지에 대해서도 다 알고 계세요. 우리 할아버지에 대해서도요. 서로 인사하고 지내도록 하세요. 이 분은 우리가 재수가 좋다고 하시네요.

유리아틴 시내에는 기차가 못 들어간대요. 시내는 화재가 났고, 철교도 폭파되었대요. 그래서 기차가 방향을 바꾸어야 한대요. 다행히 우리가 가려는 토르파나아 역을 지난대요. 짐을 들고 기차를 옮겨 타지 않아도 되니 얼마나 좋아요. 대신 차선을 바꾸기 위해 몇 시간 동안 기다려야 한대요."

지바고와 삼데뱌토프는 화물차 밖으로 다리를 내려뜨리고 앉았다. 삼데뱌토프는 줄곧 먼 곳을 손짓해 가면서 지바고에게 설명을 했다.

"저기 불타는 곳이 영화관입니다. 사관생도들이 그 곳을 점령하고 있었는데 투항했어요. 그러나 전투는 아직 끝나지 않았어요. 종탑 위에 검은 점들이 보이나요? 모두 사람이랍니다. 우리 편이죠. 지금 체코군과 싸우고 있는 겁니다. 저기 불타고 있는 곳은 수공업 지대인 호흐리키 지구죠. 우리 집이 저기에 있는데……. 걱정이 되는군요. 그래도 중심부는 무사하다니 다행이죠. 중심부에는 성당과 도서관이 있어요."

두 사람 앞에는 들판이 펼쳐졌고, 철길이 이리저리 들판을 가로질렀다. 리본 같은 길이 철도와 함께 아름답게 조화를 이루고 있었다.

"저 길은 우리 고장에서 제일 유명한 길입니다. 시베리아까지 뻗어가지요. 죄수들이 저 길을 두고 노래를 불렀어요. 이제 곧 정이 들 거예요."

"우린 시내에 살지 않을 거예요. 바르이키노에 가는 길입니다."

"예, 부인한테 들었습니다. 그러나 볼일을 보러 시내로 나오겠지요. 저는 부인을 보고 한눈에 크뤼게르 손녀란 것을 알았습니다. 영감님을 그대로 닮았어요. 이 고장 사람들은 누구나 크뤼게르를 잘 알고 있답니다."

그러다가 정치 이야기로 화제가 흘러갔다.

"마르크스주의는 진정한 과학이며, 현실 이론이며, 역사 철학입니다."

그러자 지바고는 그의 의견을 반박했다.

"마르크스주의는 과학으로서는 너무 빈약합니다. 과학이라면 균형이 있어야 하는데 객관성이 없습니다. 마르크스주의는 폐쇄적이고 사실에서 벗어난 허무맹랑한 사상입니다."

하지만 삼데뱌토프는 지바고의 말을 그냥 허허 웃어 넘기며 이렇게 말했다.

"자, 이제 돌아갑시다. 저는 곧 내려야 합니다. 당신은 여기서 두 번째 정거장에서 내리면 됩니다."

"이 고장을 잘 아시는군요."

"그럼요. 손바닥 보듯 훤하죠. 20년 이상 살았으니까요. 변호사를 하면서 사업도 하고 여행도 많이 다녔죠."

"요즘 변호사들은 일거리가 별로 없을 텐데……."

"아니오. 얼마든지 있답니다. 영업이나 계약 위반 등 처리할 소송들이 많지요."

"그런 것들은 모두 폐지되지 않았나요?"

"명목상으로는 그렇지요. 하지만 실제로는 여전히 일어나고 있습니다. 지금은 이론과 실제가 일치되지 않은 과도기죠. 이런 시대는 나처럼 민첩하고 판단력이 빠른 사람을 요구합니다. 이 곳의 절반 가량은 나 때문에 먹고살지요. 며칠 있다가 저는 벌목 건 때문에 바르이키노에 갑니다. 그 때 댁에 한번 들르죠. 거기선 저의 도움이 필요할 겁니다. 당신이 찾아가는 미쿨리친 집안에 대해서는 제가 잘 알고 있죠."

"저희 가족이 왜 거기에 가려고 하는지 아시나요?"

"시골로 돌아가려는 것은 인간의 영원한 동경이겠죠. 소박하고 낭만적이지요. 그러나 저는 유토피아나 예술 같은 걸 믿지 않아요."

"미쿨리친은 우리 가족을 어떻게 대할까요?"
"아마, 당신들이 오는 것을 좋아하지 않을 겁니다. 그 사람은 지금 궁지에 몰려 있으니까요. 공장은 가동이 중단되었고, 노동자는 모두 떠나 살길이 막막하거든요. 먹을 것도 없는 처지에 당신들이 나타나면 좋아할 리가 없지요. 하지만 알고 보면 착한 사람이니까, 처음에는 싫어하더라도 나중에는 받아들일 거예요. 마지막 남은 빵 한 조각까지 나눠 먹을 사람이지요."
삼데뱌토프는 지바고를 쳐다보면서 미쿨리친에 대해 이야기했다.
"미쿨리친은 25년 전에 이 곳으로 왔어요. 이 곳에 와서 크뤼게르 댁의 관리인이 되었고 결혼도 했어요. 툰체바 댁에는 네 명의 자매가 있었는데, 인기가 많아서 유리아틴의 젊은이들이 이 여자들을 졸졸 따라다녔죠. 미쿨리친은 이 집 장녀와 결혼을 했습니다. 그리고 아들을 낳았지요. 자유 사상에 젖어 있는 그는 아들에게 리베리우스라는 특이한 이름을 지어 주었어요. 그런데 전쟁이 나자 리베리우스는 열다섯 살 소년의 몸으로 지원병이 되어 전쟁터로 나갔지요. 원래 몸이 약했던 소년의 어머니는 그 충격으로 세상을 떠났습니다. 전쟁이 끝날 무렵, 아들은 훈장을 세 개나 탄 영웅이 되어 돌아왔습니다. 그 때 그는 볼셰비키 전선 대의원이었습니다. '산림의용대' 라고 혹시 들어 보셨나요?"
"아니오. 전혀 들어본 적이 없습니다."
"그럼 이야기해도 소용 없겠군요. 요즘 길에서 제일 눈에 띄는 것이 뭡니까? 빨치산이죠. 빨치산은 혁명의 중추죠. 그런데 이 혁명군을 두 가지로 나눌 수 있어요. 하나는 혁명의 지도권을 잡은 정치 조직이고, 또 하나는 보통의 병사들이죠. 그들은 대개 중류층의 농민이지만 그 외에도 가난한 농민, 교회에서 쫓겨난 신부, 자기 아버지에게 총부리를 겨눈 부농의 자식, 무정부주의자들이 있지요. 그리고 자유를 주고 귀환시켜 준다는 약속에 끌려온 독일군과 오스트리아 군 포로도 있어요. 이렇게 이루어진 민중의 부대가 산림의용대랍니다. 그 지휘관이 바로 미쿨리친의 아들이지요."

"그게 사실인가요?"

"그럼요. 아내가 죽자 미쿨리친은 재혼을 했어요. 엘레나라는 여자죠. 그녀는 학교를 졸업하자마자 결혼을 했어요. 순진한 여자지요. 그녀는 잘난 척을 하려고 사람들을 만나면 이것 저것 퀴즈를 낸답니다. 퀴즈에 대답을 못하면, 아주 신이 나서 으스대며 답을 가르쳐 주지요. 몇 시간 후면 제 말을 아마 확인할 겁니다. 남편도 좀 특이하죠. 원래 선원이 되려고 대학에서 선박 공부를 했어요. 그래서 그런지 그의 몸가짐이나 태도가 뱃사람 같아요. 아참! 제일 중요한 것은 미쿨리친은 한때 사회혁명 당원이었다는 거예요. 그리고 제헌 국회의 대의원이었고요."

"이런, 아들과 아버지가 적이라니!"

"그러나 실제로 산림의용대와 바르이키노 사이에 싸움은 없습니다. 툰체바 댁의 세 딸들은 어떻게 사는지 가르쳐 드릴게요. 미쿨리친의 첫 부인의 동생들은 모두 노처녀로 유리아틴에 살아요. 제일 나이 많은 아브도티아는 시립 도서관에서 사서로 일해요. 일 년 내내 감기에 걸려 연신 재채기를 하지요. 그 아래 동생 글라피라는 그 중 가장 행복하지요. 못하는 게 없는 여자로, 무슨 일이든 해내는 정열이 넘치는 여자예요. 빨치산 대장인 리베리우스는 아마도 이모를 닮은 것 같아요. 지금은 미용사로 일하지요. 막내딸 시무슈카는 골칫덩어리예요. 그녀는 책을 좋아하고 시를 사랑하고 철학을 공부했는데, 혁명이 일어난 뒤로 머리가 돌아 버렸답니다."

삼데뱌토프가 기차에서 내리자 토냐가 말했다.
"우리가 저 사람을 만나게 된 것은 인연인 것 같아요. 앞으로 우리에게 도움을 줄 거예요."
"그럴지도 모르지. 그런데 토냐! 모두가 당신이 크뤼게르의 손녀라는 사실을 알고 있어서 걱정이야. 나는 사람들이 크뤼게르 할아버지를 기억하고 있다는 것이 마음에 걸려. 스트렐리니코프까지도 나에게 대뜸 불쾌한 얼굴로 그를 아느냐고 물었으니 말야. 나는 웬지 안 좋은 예감이 들어."

토냐는 역에서 내려 기차에 두고 내린 것이 없는지를 확인했다. 오랫동안 함께 여행한 다른 승객들이 그녀에게 큰 소리로 작별 인사를 하며 손을 흔들었지만, 그녀는 짐을 확인하느라 알아채지 못했다.
역사는 석조 건물이었다. 토르파타야 역에서 내린 사람은 지바고 가족밖에 없었다. 그들은 역이 너무 조용하고 정돈이 잘 되어 있어 놀랐다. 숲으로는 철길과 시골길이 뻗어 있었다. 그 모습이 눈에 들어오자 토냐는 그제서야 정신을 차렸다. 그녀는 눈앞에 펼쳐진 신비로운 풍경을 바라본 순간 탄성을 질렀다. 무사히 도착한 것에 감격의 눈물을 흘렸다. 목이 메여 아무 말도 할 수 없었다. 그녀의 울음소리를 듣고 역장이 다가왔다.
"진정제라도 드릴까요?"
"괜찮습니다. 걱정해 주셔서 감사합니다."
그로메코 교수가 말했다.
"여행에 지쳐서 그럴 겁니다. 있을 수 있는 일이죠. 그런데 중앙 러시아에서 오셨나요?"
역장이 물었다.

"네, 모스크바에서 왔습니다. 우리는 기차를 타고 오면서 별일을 다 보았습니다. 이 애가 내 딸, 그리고 이쪽은 내 사위, 그리고 손자, 우리집 유모입니다."

"반갑습니다. 기다리고 있었습니다. 삼데뱌토프 씨가 전화를 해 오셨어요. 모스크바에서 지바고 가족이 도착할 테니 잘 돌봐 드리라고요. 그러면 선생님이 의사입니까?"

"아니오. 의사는 내 사위랍니다. 나는 농학 교수 그로메코입니다."

"아, 그렇군요."

"그런데 당신은 삼데뱌토프 씨를 잘 아십니까?"

"그 분을 모르는 사람이 어디 있겠습니까? 그 분은 우리의 은인이십니다. 그 분이 아니었다면 우리는 어떻게 되었을지 모릅니다. 그런데 어디로 가십니까?"

"바르이키노요. 여기서는 먼가요?"

"바르이키노? 아아, 선생님 따님을 어디서 본 것 같다고 생각했었는데……. 이제야 알겠군요. 저는 크뤼게르 씨와 이 길을 닦았습니다. 부인, 내가 한 마디 충고를 하겠습니다. 저는 당신이 크뤼게르와 얼마나 가까운 사이인지는 모르지만 조심하십시오. 사람들에게 진심을 털어놓아서는 안 됩니다. 지금처럼 이런 세상에서는 말입니다."

역장은 마부를 소개시켜 주었다. 이 곳은 산이 많은 지대였다. 지바고 가족은 모든 것이 마음에 들고 신기하기만 했다. 괴팍해 보이는 마부의 사투리도 좋았다.

마부는 이전에 크뤼게르 공장에 다닐 때 만들어 부르던 노래를 몇 소절 불렀다. 그리고는 몸을 돌려 토냐를 뚫어지게 바라보았다.

"부인, 나는 당신이 누군지 알 것 같아요. 당신은 크뤼게르 노인과 꼭 닮았어요. 그 분의 손녀가 아니오? 나는 그 댁의 일이라면 모르는 것이

없어요. 그 분을 위해 평생을 바쳤지요. 탄광에서 목수를 하고, 마구
간에서 일도 했어요."

마부는 미쿨리친 집안 이야기를 했다. 삼데뱌토프에게서 들은 이야기
그대로였다.

날이 저물고 있었다. 마차는 나무도 없는 평탄한 들판을 달렸다. 멀리
전방에 높은 언덕이 이어져 있었다. 언덕 위로 하얀색 단층집이 보였다.

"저 위에 집이 보이지요? 미쿨리친과 부인이 살고 있는 집이에요. 그
아래 골짜기를 슈마트라고 부른답니다."

미쿨리친의 아내인 엘레나는 숲에서 저녁 산책을 마치고 마당으로 들
어서던 참이었다. 그녀는 가벼운 여름옷 차림이었다. 그녀의 남편은 골
짜기에서 사냥을 하고 돌아오고 있었다. 이 평화로운 광경을 뒤흔들면
서 마차가 바퀴 소리를 내며 도착했다.

미쿨리친 부부와 지바고 가족의 첫 대면은 관리인의 집 마당에서 이
루어졌다. 지바고 가족은 마차에서 내렸고, 미쿨리친 부부는 얼마 동안
그저 침묵했다. 초라한 지바고 일행은 무안해서 쥐구멍이라도 찾고 싶
었다.

마침내 미쿨리친이 침묵을 깨뜨렸다.

"정말 이해할 수 없습니다. 남부에는 백위군이 있고 식량도 충분하지
요. 그런데 왜 하필이면 우리 집에 오셨습니까?"

그러자 옆에 있던 부인도 말했다.

"이게 얼마나 우리에게 부담을 주는 일인지 생각해 보셨나요?"

"우리는 당신들의 평화로운 생활에 끼어들어 시끄럽게 할 생각은 추
호도 없습니다. 우리가 바라는 것은 아주 작아요. 그저 아무도 살지
않는 낡은 집 하나를 얻고, 버려진 땅에 채소나 좀 가꾸었으면 해요.

숲에서 나무를 베다 땔감으로 쓰면 되고요. 그게 지나친 요구인가요? 우리가 부담을 너무 주는 것입니까?"

"이 세상은 넓습니다. 그런데 왜 우리가 이 일에 얽혀야 합니까?"

"그건 우리가 당신네를 알고, 당신들도 우릴 알고 있다고 생각했기 때문이에요. 우리는 남남이 아니질 않습니까?"

"크뤼게르 때문이군요. 당신들은 그 분과 친척이시군요. 하지만 지금 그걸 따질 땐가요?"

미쿨리친은 해방 운동에 청춘을 바쳤다. 유일한 걱정거리는 혁명이 일어날 때까지 살아갈 수 있을까였다. 그런데 막상 혁명이 일어나고 보니 혁명은 생각했던 것보다 더 격렬했다.

그는 원래 노동자를 사랑했다. 그는 공장위원회를 조직한 사람 중 한 사람이었고, 또 최초로 노동자 관리를 도입한 사람 중 한 명이었다. 그

런데 그런 그가 오늘날 아무 소득도 없이 이런 외딴 마을에서 노동자들로부터 버림을 받아 살고 있는 것이다. 그런데 이제는 크뤼게르 씨 후손까지 와서 자신을 괴롭히는 것 같아 기분이 나빴다.

"제 사정도 형편 없습니다. 내 아들놈이 공산당이 되자 민중의 총아라고 떠벌려 대는 놈들이 있는가 하면, 또 다른 패들은 내가 제헌 국회의원으로 당선된 것을 뭐라고 하지요. 그런 틈바구니에서 꼼짝도 못하고 있는 형편이라오. 다들 나를 적대시하고 있단 말이오. 그런데 당신네 가족까지 나타났으니……. 당신들 때문에 난 총살을 당할지도 모른단 말이오!"

그리고는 진정하고 다시 입을 열었다.

"자, 밖에서 싸움을 해 봤자 소용 없으니 집 안으로 들어갑시다. 물론 들어간다고 좋은 일이 생기는 것은 아니지만."

날이 어두워지자 날씨가 추워졌다. 사샤가 재롱을 부렸지만, 모두들 못 본 척하며 상대해 주지 않았다. 사샤는 기분이 나빠 투정을 부리다 잠이 들었다. 그로메코 교수와 지바고는 바람을 쐬러 베란다로 갔다.

"내일이면 우리한테 빌려 준다는 별채를 둘러보아야겠네. 수리하고 정리가 되고 따뜻한 계절이 오면 밭을 가꾸자고. 씨감자를 줄 것처럼 말했는데 잘못 알아들은 게 아닌지 몰라."

"저도 들었어요. 다른 씨앗도 준다고 했어요."

"어찌 되었든 우리가 여기에 있게 되어 다행이야. 감사해야겠어. 여긴 좋은 곳이야. 마음에 들어."

"좋은 사람들 같아요. 하지만 부인은 약간 거만해 보여요."

그들이 식당으로 돌아가다가 미쿨리친의 서재를 지나게 되었다. 서재에는 골짜기를 내려다볼 수 있는 커다란 창문이 있었다. 지바고는 그 서재가 부러웠다.

"참 좋은 서재예요. 연구가 잘 될 것 같은데요."

토냐가 지바고에게 말했다.

"여보, 여기 이것 좀 보세요. 미쿨리친 씨 아드님이 어렸을 때 만든 거래요."

"우리는 하루 종일 선생님의 아드님 칭찬을 들었습니다. 무척 자랑스러우시겠어요."

"이 우랄 지방의 풍경 사진도 그 애가 직접 만든 사진기로 찍었죠."

엘레나는 지바고 부부에게 이것 저것 퀴즈를 냈다. 러시아 위인들의 생년월일, 작품 등에 대해 물었다. 그리고 렌즈의 종류도 물었다.

"물리학에 대해 참 많이 알고 계시군요."

그 말에 부인은 거드름을 피우며 말했다.

"과학 선생님 덕분이에요. 우리 학교에는 훌륭한 과학 선생님이 계셨어요. 정말 잘 가르치셨죠. 파샤 안티포프라는 분이었어요. 라라라는 여선생과 부부였어요. 여학생들은 모두 파샤 선생님을 사모했어요. 그런데 선생님은 군에 자원해서 돌아오지 않았고 전사했다는 소문이 났어요. 어떤 사람들은 천벌을 받아 마땅할 스트렐리니코프가 안티포프 선생님이라고도 하지요. 하지만 그건 헛소문이에요. 어림도 없는 소리예요. 하지만 모를 일이죠. 지금 세상은 무슨 일이 일어나는지 도대체 종잡을 수가 없으니까요."

바르이키노

겨울이 깊어지면서 시간이 많아졌다. 그래서 지바고는 생각나는 대로 글을 쓰기 시작했다.

새벽부터 해질 무렵까지 가족을 위해 땀흘려 지붕을 만들고, 땅을 일구는 것은 행복한 생활이 아닌가. 나는 더 이상 말하지 않겠다. 톨스토이의 인내나 땅으로 돌아가라는 설교를 하려는 것이 아니다. 또한 농업 문제에 대해 사회주의의 태도를 수정하려는 것도 아니다. 다만 사실을 밝히고 싶을 뿐이다.

우리 경제는 너무 혼란한 상태에 있다. 우리가 생산하는 감자나 채소는 필요한 양의 일부밖에 생산하지 못하고 있다. 나머지는 다른 곳에서 얻어야 한다. 우리의 토지 사용은 불법이다. 우리는 제멋대로 하고 있고, 이 일을 국가에 숨기고 있다. 다행스럽게도 우리는 깊은 산골에 들어와 들키지 않고 있는 것이다.

나는 의사의 일을 그만두었다. 그리고 의사라는 사실도 알리지 않았다. 자유롭고 싶기 때문이다. 그러나 바르이키노에 의사가 있다는 소문이 나자, 순박한 시골 사람들은 32킬로미터나 되는 거리를 걸어 찾아왔다. 이들은 닭, 달걀, 버터 등을 가지고 왔다. 나는 보수를 받지 않으려고 하지만, 공짜는 효험이 없다고 믿는 사람들 때문에 어쩔 수 없이 받아야 했다. 그 덕분에 그럭저럭 수입이 생겼다. 그러나 우리에게 가장 큰 도움을 주는 사람은 미쿨리친 씨와 삼데뱌토프 씨다. 삼데뱌토프 씨가 우리 가족을 비롯해 많은 동네 사람들을 돕는 이유는 무엇일까? 삼데뱌토프 씨는 《공산당 선언》처럼 도스토예프스키의 《악령》을 잘 읽었고, 문학을 논하는 것을 좋아한다.

얼마 후 지바고는 다음과 같은 글을 또 썼다.

우리는 그래도 운이 좋았다. 가을은 건조하고 따스했다. 비와 추위가 닥치기 전에 감자를 캘 수 있었다. 미쿨리친한테 돌려줄 것을 제하고도 스무 포대나 되는 감자가 생겼다. 그 외에도 양배추, 당근, 무, 열무 등이 생겼고, 완두콩도 많이 수확했다. 헛간에는 봄까지 쓸 수 있을 만큼 장작도 충분하다.

첫 해 봄과 여름에는 고생을 많이 했다. 그러나 우리는 힘껏 일했다. 그 덕에 겨울밤의 훈훈한 휴식을 얻을 수 있게 되었다. 석유를 대 주는 삼데뱌토프 덕분에 우린 밝은 등잔불가에 둘러앉아 담소를 나눌 수 있었다. 여자들은 바느질과 뜨개질을 하고, 나와 장인어른은 소리내어 책을 읽는다. 우리는 톨스토이의 《전쟁과 평화》, 푸슈킨의 《예브게니 오네긴》, 스탕달의 《적과 흑》, 디킨스의 《두 도시의 이야기》 등을 읽었다.

토냐가 임신한 것 같다. 나는 토냐에게 임신했다고 말했지만 토냐는 믿지 않으려 했다. 그러나 임신이 확실하다. 그녀는 이미 얼굴이 창백해

지고 피부가 거칠어졌다. 힘에 겨운 세월로 우리 사이는 더욱 가까워졌다. 나는 아내가 얼마나 강한 여자인지 새롭게 알게 되었다. 그녀는 시간을 절약해서 일을 능률있게 하고 현명하게 계획을 세우는 여자였다. 모든 잉태는 순결하다. 모든 여성은 위인이다.

어제는 푸슈킨의 시를 수없이 읽었다. 삼데뱌토프가 선물을 가지고 와서 덕분에 맛있는 음식을 먹을 수 있었다. 우리는 예술에 대해 끊임없는 토론을 했다. 나는 문학 작품이 예술성으로 우리에게 감동을 준다고 생각한다. 도스토예프스키의 《죄와 벌》 속에 녹아 있는 예술이 우리를 감동시키는 것이지, 결코 주인공의 범죄 이야기가 전부는 아니다.

오한이 나고 기침을 했다. 하루 종일 숨이 가쁘고 목구멍에 무슨 덩어리가 있는 것만 같다. 심장병이 아닐까? 한평생 심장병을 앓으셨던 어머니 생각이 났다. 나도 혹시 어머니를 닮아서 심장이 약한 것은 아닐까?

건강이 회복되는 대로 도서관에 가서, 이 고장의 민속과 역사에 대해 알아봐야겠다. 이 곳 도서관은 책이 많다고 들었다. 나는 글을 쓰고 싶다. 우물쭈물할 시간이 없다. 두통이 심해지고, 잠도 편안히 잘 수 없다. 잠을 깨면 간밤에 꾼 꿈이 거짓말같이 하나도 기억나지 않는다. 나는 꿈 속에서 여자의 목소리를 들었다. 내가 알고 있는 여자 하나하나를 떠올려 보아도 꿈 속에서 들었던 목소리의 주인공은 아니다. 처음엔 토냐라고 생각했다. 그러나 아니다. 그 목소리의 주인공은 누구일까?

나는 의사지만 농사일을 하면서 무엇인가 의미 있는 일을 하고 싶다. 후세에 남을 만한 책을 쓰고 싶다. 떳떳한 학술서나 예술 작품을 쓰고 싶다. 모든 인간은 태어나면서부터 파우스트가 된다고 했다. 그것은 세상의 모든 이치를 깨닫고 경험하고 표현하고 싶은 욕구 때문일 것이다.

그런데 작가가 되는 것을 방해하는 것이 있다면, 그것은 무엇일까? 가난, 방황, 떠돌이 생활 때문이 아니다. 지금 문단은 미사어구를 쓰는 분위기다. 바로 이것 때문이다. 처음 미사어구를 접했을 때 그 말이 너무도 멋진 말이라고 감탄했지만, 실은 상상력이 없는 값싼 허식이었다. 진실로 위대한 것은 성실한 노동, 의무, 일상 생활을 노래하는 것이다. 나는 푸슈킨과 체호프의 소박성을 좋아한다. 고골리, 톨스토이, 도스토예프스키 등도 생명의 의미를 추구하고, 죽음을 준비한 작가들이다. 그러나 푸슈킨과 체호프는 마지막 순간까지 문학가의 길을 걸어갔다. 이들은 개인적인 것들을 작품으로 썼다. 그러나 그들의 개인적인 일들과 관심은 인류의 관심사였다.

봄이 왔다. 우리는 농사를 준비하고 있다. 일기를 쓰는 것도 그만두어야겠다. 글을 쓴다는 것은 즐거운 일이지만 겨울이 될 때까지는 중단해야 한다. 며칠 전에는 사순절이었다. 눈이 녹아서 물바다와 진흙탕이 되었다. 병든 농부가 나를 찾아왔다. 하지만 나는 의사를 그만두었고, 약도 없다고 하며 진찰을 거절했다. 그러나 그는 막무가내로 도와 달라고 했다. 결국 나는 그에게 지고 말았다. 그의 병은 낭창이었다. 겨우 삼데뱌토프가 구해 준 약으로 치료할 수 있었다.

이 때 뜰 안으로 어떤 남자가 찾아왔다. 나는 또 다른 환자인 줄 알았다. 그러나 그는 나의 이복동생 예브그라프였다.

그는 우리 식구들과 함께 집안 이야기를 하고 자리를 같이했다. 어디서 오는 길이며, 어떻게 왔느냐고 물었지만, 그는 미소를 지으며 수수께끼 같은 말만 늘어놓았다. 그는 약 두 주간을 우리와 함께 있었다.

그 동안 나는 예브그라프가 삼데뱌토프보다 더 영향력 있는 인물임을 알게 되었다. 그는 어디서 왔을까? 무엇을 하며 사는 걸까? 어떻게 권력을 쥐게 되었을까? 그는 우리 생활을 더 편하게 해 주겠다고 했다. 내가 의사 생활을 하면서 글을 쓸 수 있도록 돌봐 주겠다고 했다.

예브그라프 덕분에 우리는 점점 편안하고 풍요로운 생활을 할 수 있게 되었다. 우리는 형제다. 그런데 나는 성이 같다는 것 외에는 동생에 대해 아는 것이 없었다. 동생은 선한 수호천사로 내 생활로 들어왔다. 그는 누구일까?

여기서 지바고의 글은 끊겼다. 그 후부터 그는 글을 쓸 기회가 없었던 것이다.

지바고는 유리아틴 시립 도서관에서 책을 읽었다. 봄에는 시내에 전기가 들어오질 않아 날이 어두워지면 도서관 문을 닫았다. 그러나 지바고는 언제나 어두워지기 전에 집에 가야 했기 때문에 일찍 나왔다. 미쿨리친한테서 빌려 타고 온 말을 삼데뱌토프 집에 맡겨 두고, 하루 종일 책을 읽다가 오후에 말을 타고 집으로 돌아왔다. 지바고는 도서관을 찾기 전까지는 유리아틴에 한 번도 나온 적이 없었다.

지바고는 열람실 한쪽 구석에 앉아 있었다. 그의 책상 위에는 지방 농지 통계에 관한 보고서와 지방 민속에 관한 책이 몇 권 놓여 있었다. 그는 더 많은 책을 대출해서 읽고 싶었지만, 그렇게 할 수 없다고 해서 자기가 필요한 책들을 부지런히 훑어 내려갔다.

손수건을 코에 대고 있는 여직원이 창가로 걸어가 커튼을 쳤다. 도서관은 금방 부드러운 빛으로 가득했다. 그녀가 열 번 정도 재채기를 했을 때, 그녀가 바로 미쿨리친의 처제라는 사실을 알았다. 그리고 나서 맞은편 끝에 앉아 있는 한 여자를 바라보게 되었다. 지바고는 한눈에 그녀가 라라임을 알아 보았다. 그녀는 그에게 등을 보이고 앉아, 재채기를 하는 여인에게 낮은 목소리로 뭐라고 말했다. 라라는 재채기를 하는 여인을 걱정해 주는 것 같았다. 사람들은 그 모습을 보고 흐뭇한 표정을 지었고, 칭찬하는 눈길을 보냈다. 이 모습을 지켜본 지바고는 라라가 이 시내에서 평판이 좋은 사람이란 것을 알 수 있었다.

지바고는 자리에서 일어나 라라에게 다가가고 싶었다. 그러다가 그녀를 방해하지 말고, 자기가 하던 일이나 계속해야겠다고 생각했다. 그녀를 보지 않으려고 돌아앉아 독서에 집중하려고 했다. 그러나 그 순간, 꿈 속에서 들렸던 여자의 목소리가 바로 라라였음을 깨달았다.

지바고는 사람들이 놀랄 정도로 거칠게 의자를 돌려놓고 그녀를 바라보았다. 지바고는 멜류예제보에서 그녀에게 받은 인상과 똑같은 인상을 다시 느꼈다.

'라라는 남자에게 주의를 끌려고 애쓰지 않아. 그런데도 남자들은 그녀에게 끌리지.'

어느덧, 지바고의 마음이 편안하게 가라앉았다. 그리고 라라가 나타나기 전보다 더 정신을 집중해서 책을 읽었다.

이윽고 오늘은 그만 읽기로 하고 책을 덮었다. 일어나 열람실을 둘러보았으나 라라의 모습은 보이지 않았다.

지바고가 책을 반납하기 위해 카운터에 갔을 때, 거기에 라라가 갖다 놓은 책들이 있었다. 모두 마르크시즘 입문서였다. 아마도 교직으로 복직하기 전에 정치적으로 무장할 필요가 있었던 모양이다.

책 사이에 끼워 놓은 대출증에 그녀의 주소가 있었다. 지바고는 그 주소를 수첩에 적었다. '상인들의 거리 조각품이 있는 집의 맞은편' 이라는 묘한 주소였다. 지바고는 사람들에게 그 주소를 물어 보았다. 그랬더니 아주 쉽게 건물 위치를 설명해 주었다.

그 곳은 여인 동상과 조각 등으로 장식된 청회색 건물이었다. 어떤 상인이 백 년 전에 개인용 극장으로 지은 건물인데, 그 재산을 상속받은 사람이 상인조합에 이 건물을 팔았다고 했다. 그런 이유로 그 곳은 상인의 거리라 불렸고, 그 집 일대를 조각품이 있는 집으로 부른다고 했다. 지금은 시 당위원회가 쓰고 있다고 했다.

5월 초순의 찬바람이 부는 오후였다. 지바고는 시내에서 일을 마치고 잠시 도서관을 기웃거리다가 모든 계획을 바꾸고 라라를 만나러 갔다. 라라가 사는 집은 이름처럼 괴상하고 쓸쓸한 인상을 주는 집이었다. 라라의 집으로 들어가는 문은 두 군데 있었다. 하나는 거리에서 현관으로 들어가고, 하나는 골목길에서 뜰로 통하고 있었다. 지바고는 앞문이 있는지 모르고, 골목길로 난 문으로 들어갔다.

우물가에 있는 라라의 모습이 보였다. 라라는 물통 두 개에 물을 채우고 멜대로 걸어서 어깨에 지고 있었다. 물을 길어 집으로 가는 길에 바람이 불어 머릿수건이 벗겨져 담으로 날아갔다. 지바고는 뛰어가 수건을 집어 우물가로 다가가 당황해하는 라라에게 주었다. 라라는 놀라지도 않고 자연스런 얼굴로 외쳤다.

"지바고 씨!"

"라라!"

"여길 어떻게 오셨어요?"

"물통을 내려놓아요. 내가 들어다 줄게요."

"괜찮아요. 당신이 들다가는 오히려 물을 엎질러요. 그보다 여길 어떻게 알고 찾아왔나요? 이 지방에 온 지 일년이 넘도록 한 번도 찾아오지 않으셨으면서요."

"아니, 당신이 그걸 어떻게 알지요?"

"다 아는 방법이 있지요. 도서관에서 당신을 보았어요."
"그럼 왜 아는 체하지 않았나요?"
"당신도 마찬가지 아닌가요? 자 어서 들어오세요. 그런데 잠깐만 기다리세요. 옷 좀 갈아입을게요."

지바고는 라라의 안내로 방으로 들어섰다. 지바고는 문 맞은편 창문으로 보이는 전망에 감탄했다. '모로 베트친킨 회사' 라는 광고판이 보였다. 그러면서 우랄에 도착했던 일이 떠올라 라라에게 그 때의 이야기를 했다. 스트렐리니코프가 라라의 남편일지도 모른다는 생각을 잊고, 그만 그 사람의 이야기를 해 버렸다.
"스트렐리니코프를 만났다고요? 지금은 자세히 말할 수 없지만 정말 놀랍군요. 당신은 그를 만나게 될 운명이었나 봐요. 제 생각이 맞을지 모르지만, 혹시 그 사람은 당신에게 좋은 인상을 주지 않았나요?"
"그건 것 같아요. 그는 나를 좋지 않게 여겼을 텐데 말이오. 나는 그 사람을 야만적인 군인이나 혁명의 광신자일 거라고 짐작했었는데, 실은 어느 쪽에도 속하지 않은 사람 같았소."
"사람들은 그 사람이 당원이 아니라고 하더군요."
"그래요. 나도 그렇게 느꼈어요. 나는 그 사람을 동정해요. 그 사람은 다른 혁명가와 다른 점이 있었어요. 그가 그 길을 가게 된 것은 이론에서 나온 것이 아니라, 그가 겪은 시련에서 왔다는 거지요. 그가 볼셰비키와 손을 잡은 것은 우연한 일이었을 거요. 그들은 그가 필요하다고 생각될 때까지 그를 이용하겠지요. 그러는 동안 그들은 함께 하겠죠. 그러나 필요성이 없어지면 그 순간, 그들은 아무 거리낌없이 그를 버릴 거예요."
"그렇다면 그를 구할 수 있는 길이 없을까요? 도망친다거나. 그 사람이 불쌍해지는군요. 그런데 당신도 많이 달라졌어요. 혁명에 대해 예민하지도 않았고 비판적이지도 않았잖아요."

"세상이 나를 변하게 했어요. 우리가 우랄 지방에 도착한 때는 난리가 있던 날 아침이었는데 그 때 당신은 괜찮았었소?"

"온 도시가 불에 탔죠. 우리는 겨우 면했지만요. 이 집도 위험했어요. 권력이 바뀔 때마다 방화와 약탈, 폭력이 일어나죠. 우리는 이제 그런 것에 단련이 되어 있어요. 그런데 놀라운 것은, 아직 말씀드리지 않았지만 갈리울린에 대한 이야기예요. 그는 높은 사람이 되어 체코 군과 함께 나타났어요. 총독인지도 몰라요."

"나도 그 사람 이야기는 들었소. 그 사람을 만나 보았소?"

"여러 번이요. 그 사람 덕분에 많은 사람들이 목숨을 건졌어요. 그래서 사람들은 갈리울린을 좋아해요. 그는 나에게 많은 도움을 주었어요. 우리는 옛 친구잖아요. 저는 갈리울린을 찾아가 많은 사람들에게 도움을 줄 수 있었어요. 우리는 당신에 대해서도 이야기했어요."

그 때, 머리를 양쪽으로 땋은 여덟 살쯤 되어 보이는 여자아이가 들어왔다.

"우리 딸 카텐카예요. 두 사람이 친구가 되었으면 좋겠군요."

"멜류예제보에서 사진을 본 적이 있어요. 많이 컸네요."

"자, 이제 솔직하게 말씀드리지요. 당신이 만났다는 스트렐리니코프는 바로 제 남편 파샤예요. 저는 남편의 생각에 동의해요. 딸도 그걸 알고 아빠를 자랑스럽게 생각하고 있답니다. 스트렐리니코프는 남편의 가명이에요. 다른 혁명가처럼 그도 가명을 쓰고 있는 거예요. 무슨 이유인지 남편은 가명으로 살아요. 유리아틴을 탈취한 것도 그 사람이고, 우리가 여기 살고 있는 것을 알면서도 대포를 쏜 것도 그 사람이죠. 그리고 자기 정체가 드러날까 봐 두려워 우리 집을 찾지도 않았어요. 물론 그의 입장을 이해해요. 만일 그이가 나한테 어떻게 했으면 좋겠냐고 물었다면 그렇게 하라고 했을 거예요. 우리가 소비에트에서 집을 제공받은 것도 어쩌면 그의 배려일 거예요. 그렇지만 남편이 유리아틴에 있으면서 우리를 보고 싶은 마음을 참는 것은 상상할 수도 없는 일이에요. 그 사람은 지금, 우리 군의 최전방의 한 부대를 지휘하는 갈리울린과 싸워 이기고 있답니다. 어려서부터 친구이고 전쟁 때에는 전우였던 사람들이 이제는 적이 된 거죠. 갈리울린도 스트렐리니코프가 누구인지 알고 있어요. 그러나 그는 그걸 나에게 한 마디도 하지 않더군요. 나는 남편을 한번 만나려고 했어요. 민원실은 늘 사람들로 북적거렸죠. 나도 그 곳에서 남편을 기다렸어요. 내가 그의 아내라고 말하지는 않았지요. 말했어도 성이 다르니까 믿어 주지 않았을 거예요. 만약 믿는다 해도 그게 무슨 소용이겠어요. 이 시대에 그들에게 아내가 무슨 소용이 있겠어요. 그 사람의 부관이 용건이 뭐냐고 해서 나는 개인적인 일이라고 했지요. 그는 수상한 눈으로 나를 보더니 만나게 해 주질 않더군요. 결국 나는 남편을 만날 수 없었어요. 당신은 그가 우리를 잊었다고 생각하시겠죠? 아뇨. 그 반대랍니다. 저는 남편을 잘 알아요. 우리를 사랑하기 때문에 그러는 거예요. 그는 승리자가 되어 우리에게 월계관을 바치려는 거예요."

지바고는 말을 타고 시내에서 바르이키노로 돌아가고 있었다. 수없이 다니던 길이었다. 그는 숲 속 갈림길 가까이까지 왔다. 이 근처에서 지바고는 항상 저녁놀을 바라보았다. 지금도 황혼이 깃들여 있었다.

유리아틴에서 집으로 가지 않고, 라라의 집에서 하룻밤을 지내고 식구들에게는 삼데뱌토프 집에서 잤다고 말한 것이 벌써 두 달이 지났다. 지바고는 아내를 속이고 라라에 관한 일은 입에 담지도 않았다. 라라와 지바고와의 관계는 점점 심각해졌고, 용납할 수 없는 상황에까지 이르렀다.

지바고는 아내 토냐를 사랑했다. 토냐가 주는 정신적인 편안함은 세상 어느 것보다 소중했다. 그런데 지바고가 그런 토냐를 아프게 하고 있는 것이다. 지바고는 집안에서 죄인과 같은 기분으로 살았다. 식구들은 이런 사실을 모르고 지바고에게 여전히 친절했다. 그럴 때마다 지바고는 더욱 죄인이 되는 기분이었다.

'앞으로 어떻게 될까?'

이런 생각을 늘 했으나 해답을 찾지 못했다. 그는 더 이상 망설이지 않고 결단을 내릴 참이었다. 토냐에게 모든 것을 고백하고 용서를 빈 다음, 다시는 라라를 만나지 않겠다고 맹세하기로 한 것이다. 하지만 그것은 쉬운 일이 아니었다.

라라는 지바고가 얼마나 고민하는지를 너무도 잘 알고 있었다. 지바고의 결심을 듣고 라라는 침착했다. 라라는 부드럽게 말했다.

"내 걱정은 하지 마시고, 당신 좋으실 대로 하세요. 나는 모든 것을 견딜 수 있어요."

이것은 진심으로 하는 말이었다.

오늘은 아내에게 꼭 말을 하리라는 마음으로 말을 타고 집으로 가려고 하는데, 총소리가 들렸다. 길 맞은편에 말을 타고 무장한 세 사람이 지바고의 앞을 가로막았다.

"움직이지 마시오, 의사 동무! 우리는 빨치산이오."

세 사람 중 나이가 가장 많아 보이는 기병이 말했다.

"시키는 대로 하면 목숨을 살려 주겠소. 우리 부대의 의사가 전사했기 때문에 당신을 의료 노동자로 징용하는 것이오. 다시 한 번 말하지만 도망치면 용서하지 않겠소."

"당신은 미쿨리친의 아들과 동지입니까?"
"그렇소. 나는 그의 수석 연락 장교인 카멘노드보르스키요."

가도에서

크레스토보즈드비젠스키 시, 오멜리치노, 파진스크의 여러 역들, 야클린스코예 이주민 마을, 자유 농민 마을과 도시 가운데로는 시베리아에서 제일 오래되고 옛날에는 우편 마차가 오가던 가도가 있었다. 가도 주변에 살고 있는 사람들은 마치 한 가족처럼 생활했다. 그러나 세상은 변했고, 지금 이 모든 지역이 최고 통치자로 자처하는 콜자크 제독에게 넘어가 있었다.

겨울이 끝날 무렵 사순절도 끝나는 부활제 전 주일이었다. 사람들은 길을 가다가 멈춰 서서 벽에 나붙은 최고 통치자의 포고문을 읽고 있었다. 그것은 3년 동안 군복무를 할 사람들을 소집한다는 내용이었다.

부활제 전날 밤, 미사가 시작되었을 때 누군가 수도원에서 나와 거리를 걸어가는 소리가 났다. 잡화상 안주인 갈루지나가 막 시작한 새벽 미사를 빠져 나와 집으로 가는 길이었다. 그녀는 2년째 사순절에 단식을 하지 않았다. 그러나 그녀가 걱정하는 것은 이것이 아니었다. 벽에 나붙은 동원령이었다. 그 동원령에 자기 아들 테렌티가 포함된 것이었다. 여러 생각이 그녀의 마음을 짓눌렀다. 이제 집에는 아무도 없으며 그녀 혼자만 남게 된 것이다.

남편 갈루진은 거리를 누비며 소집된 신병 앞에서 연설을 했다. 갈루지나는 자기 자식이 위급한 상황에서 벗어나도록 손을 써야 한다고 생각하였고, 남편의 그런 행동을 못마땅하게 여겼다.

아들 테료시카도 더 이상 참지 못하고 부활제 전날 밤 집을 나갔다. 이것이 모두 전쟁 때문이었다. 전쟁이 러시아의 꽃 같은 젊은이들을 죽이고 있는 것이다.

갈루지나는 크레스토보즈드비젠스키 시 장터를 몇 번이나 왔다갔다했다. 옛날에 이 장터는 들판처럼 드넓었다. 장날 때마다 농부들의 수레로 만원이었다. 갈루지나는 잡다한 생각에 뒤섞여 제대로 갈피를 못 잡고 방황하다가 집으로 돌아왔다.

중앙위원회 리도치카는 빨치산 대장이 제지하는 소리도 듣지 못하고 계속 연설을 했다.

빨치산 대장은 미쿨리친의 아들인 리베리우스다.

"시베리아에 있는 부르주아 군사 정권의 착취, 폭력, 총살, 고문 등의 정책은 무지한 민중의 눈을 뜨게 했습니다. 시베리아 정권은 노동자와 농민의 적입니다……."

넓은 헛간을 치우고 사람들이 비합법 집회를 열고 있었다.

"도시와 농촌의 빈민 간의 동맹은 오직 소비에트를 통해서만 실현될 수 있습니다. 지금이야말로 시베리아 농민들이 목적을 행해 돌진할 때입니다. 노동자와 농민의 공동의 목적은 코사크 수령이나 제독 정권을 타도하고, 무장 봉기로 농민, 병사의 소비에트를 수립하는 것입니다……."

빨치산 대장은 무례하고 불손한 태도로 리도치카의 말을 계속 가로막았다. 빨치산 대장 리베리우스는 나이가 젊은데도 불구하고 대부대를 지휘하여 많은 군인들의 존경을 받고 있었다.

대장의 양편에는 또래로 보이는 호위병 두 사람이 서 있었다. 그들의 얼굴에는 맹목적인 충성이 나타나 있었다. 이들 외에도 방 안에는 십여

명의 사람들이 더 있었고, 귀빈 서너 명은 의자에 앉아 있었다.

그들은 제1차 혁명에 가담했던 고참 노동자였다. 그들 중 한 사람은 우울한 성격으로 바뀐 티베르진이었고, 다른 한 사람은 그의 친구 안티포프 노인이었다. 안티포프는 티베르진의 말이라면 무조건 찬성했다.

그 밖에도 러시아 무정부주의자인 브도비첸코가 있었다. 그는 아주 뚱뚱한 거구의 노인으로, 러일 전쟁 때 장교로 참전했었는데, 환상 속에서 헤어나지 못하고 있는 몽상가였다. 그는 누가 무슨 말을 하든지 아무렇게나 다 찬성하는 버릇이 있었다. 그의 옆자리에는 사냥꾼 스비리드가 있었다. 그는 무식하지만 순박한 사람이었다.

중앙에서 파견된 보고자는 협동주의자인 크소토예드 아무르스키였다. 그는 이전에 사회혁명당에 가담했다가 최근에 과거의 사상을 버리고 자아 비판을 했다. 공산당은 그의 입당을 허락하고, 입당 후 현재의 책임 있는 직책을 맡겼던 것이다. 그의 정치적인 신념의 변화는 그의 마음과 태도, 습관까지도 바꾸어 버렸다.

코스토예드는 연설을 했다. 그는 비밀 집회 장소, 암호와 통신 방법에 대해 자세히 설명했다. 하지만 리베리우스는 더 이상 참고 있을 수가 없었다. 지금까지의 이야기가 사실과 다른 허황된 이야기라고 생각했다. 그래서 연설을 중단시켰다.

리베리우스의 건방진 태도에 티베르진이 나서서 항의했고 사방에서 사람들이 소리쳤다. 제각기 의견을 말하는 통에 분위기가 산만해졌다. 새벽녘에야 비로소 회의가 끝났다. 그리고는 각자 집으로 돌아갔다.

쿠테이니 포사드 마을에서는 신병 입소의 송별회가 벌어지고 있었다. 그리고 예르몰라이 마을에서는 징병위원회에 의해 신체 검사가 진행되고 있었다. 코사크 병사와 기마 민병대가 주둔해 있었고, 신병을 위해 마련한 음식과 술이 가득했다. 대부분의 음식은 부활제에 쓰고 남은 것이었다.

"샴페인이 없으니 우리가 만든 술로 건배합시다. 오늘 출발하는 젊은이들의 앞길을 위해! 여러분이 가시는 가시덤불은 조국을 위한 것입니다. 적들은 조국의 산야에 우리 피를 뿌리게 하고 있습니다. 오늘 출발하는 젊은이들에게 신의 가호가 있기를 바랍니다."

갈루진의 연설이 끝나기도 전에 만세 소리가 났다. 갈루진을 헹가래치자는 소리가 요란하게 들려왔다.

"네 아버지는 대단한 웅변가야. 하지만 네 아버지가 공짜로 열을 낸다고는 생각하지 않아. 저렇게 연설하고 다니는 것은 너를 징병에서 면제시키려는 속셈이지."

만취한 고시카가 옆에 앉은 테렌티 갈루진을 향해 빈정거렸다.

"그게 무슨 소리야! 징병 면제라고? 이봐, 나도 자네와 같은 날 통지서를 받았어. 아버지는 확실하게 연설을 잘 하셔. 체계적인 교육을 받지 않았는데도 말야."

그 때 멀지 않은 곳에서 굉장한 폭음이 땅을 흔들었다. 사람들은 미친 듯이 소란을 피웠다.

갈루진은 범인을 찾기 위해 주위를 두리번거렸다.

"이 대열에 숨어서 만행을 저지른 놈이 누구냐! 여러분, 그런 짓을 한 놈을 절대로 그냥 두어서는 안 됩니다. 마을을 차단해서라도 그놈을 잡아야 합니다."

처음에 사람들은 그의 말에 귀를 기울였지만, 건너 마을 군청에서 하늘까지 검은 연기가 치솟는 바람에 모두 정신이 그쪽으로 팔렸다. 사람들은 무슨 일인지 궁금해서 계곡으로 뛰어갔다.

불타고 있는 예르몰라이 군청 건물에서 신체 검사를 하던 스트레제

대령과 장교 몇 명, 신병 몇 명이 뛰쳐나왔다. 코사크 기병과 민병대원은 말 채찍을 휘두르면서 마을을 누비며 누군가를 찾고 있었다.

날이 어두워지자, 스트레제 대령은 범인이 예르몰라이 마을을 벗어났다고 확신하고, 코사크 기병을 이끌고 쿠네이니 마을로 달려가 모든 집과 농장을 뒤지기 시작했다.

이 무렵, 송별회에 모였던 사람들 대부분은 술에 취해 연회 장소 땅바닥에서 잠이 들었거나, 식탁 밑으로 머리를 처박고 코를 골고 있었다. 몇 명의 젊은이는 민병대가 왔다는 말에 겁을 먹고, 가까운 곳간으로 들어가 마룻바닥 밑으로 숨었다. 이들은 양심에 거리낄 일을 하지 않았다. 다만 술에 취해 이성을 잃고, 순간적으로 도망을 친 것이었다.

마루 밑에는 먼저 기어 들어온 사람들이 있었다. 이들은 술이 취해 들어온 사람들로, 모두 잠이 들어 있었다. 테렌티 갈루진과 싸움 잘하기로 소문난 코시카가 함께 앉았다.

"코시카 대체 무슨 일이야? 어떡하다 이런 일이 생긴 거지?"

"이게 모두 사니카 때문이야. 우리는 징병 검사소에서 알몸으로 줄을 서서 신체 검사를 받으려고 기다렸지. 사니카 차례가 되었는데 그는 술에 잔뜩 취해서는 옷도 벗지 않고 거칠게 대들었어. 죽어도 옷을 벗을 수 없다면서 소란을 피웠어. 그 때 스트레제가 들어와 그를 야단쳤어. '난폭한 행동은 용서할 수 없다. 선동자가 누구냐?' 라고 말했지. 그랬더니 사니카가 창문으로 다가서더니 '옷을 입어! 동지들, 이 곳에 있으면 우리 모두 끝장이야!' 라고 소리쳤어. 나는 옷을 주워 입고 사니카에게 다가갔어. 그는 주먹으로 유리창을 깨고 거리로 뛰쳐나갔지. 나도 그 뒤를 따랐어. 다른 두서너 명도 함께 따라왔어. 우리는 죽을 힘을 다해 뛰었지."

"그럼 폭탄은?"

"우리가 한 일이 아냐."

"그럼, 누가 한 거지?"

"내가 어떻게 알아? 누군가 혼란한 틈을 이용해 폭탄을 터뜨린 거겠지. 아마, 정치범의 소행일 거야."

그 때 수색대가 그들 근처까지 왔다. 그들은 조용히 숨을 죽였다. 수색대는 이내 가 버렸다.

산림 의용대

지바고가 빨치산의 포로가 된 지도 일 년이 흘렀다. 그는 포로였지만 자유로웠다.

지바고는 세 번이나 빨치산에서 도망치려고 했는데 그 때마다 잡혔다. 그래도 아무런 처벌을 받지 않아서, 다시는 도망칠 생각을 하지 않았다.

빨치산 대장 리베리우스는 지바고에게 호감을 가졌다. 그래서 지바고를 자기 막사에서 함께 지내도록 배려했다.

이 무렵 빨치산은 동쪽으로 이동하고 있었다. 어느 날, 한 작은 마을에서 지바고는 빨치산 수중에 들어온 영국제 군용 의약품을 접수하라는 명령을 받았다. 그것은 카펠 장군 휘하에 있던 백위군 장교 부대가 퇴각할 때 버리고 간 것이었다.

비오는 오후였다. 군대의 빈번한 이동 때문에 완전히 파괴된 도로는 시꺼먼 진흙뿐이었다.

지바고는 이 곳에서 모스크바에서 기차를 함께 타고 왔던 탸구노바를 만났다. 탸구노바가 먼저 그를 알아봤다. 지바고는 모든 것이 기억났다. 초만원이던 화물 열차, 강제 노동에 끌려가는 징용자들과 감시병, 그리고 자기 가족들……. 가족들을 생각하니 마음이 아팠다. 그리운 가족들의 얼굴이 눈앞에 선명하게 떠올랐다.

탸구노바는 그 동안 있었던 일을 들려주었다. 탸구노바는 강제 징집되었던 순진한 소년 바샤의 고향에 갔다고 했다. 물론 바샤와 함께. 그녀는 바샤 집에서 지냈는데, 동네 사람들은 외지인이라는 이유로 탸구노바를 따돌렸다. 그리고 바샤와 가까운 사이라는 터무니없는 소문이 돌아 결국 견디다 못해 떠나 왔다고 했다.

탸구노바는 크레스토보즈드비젠스키 시에 사는 갈루지나 언니 집에서 얼마간 지내다가, 파진스크에서 애인 프리톨리예프를 보았다는 소문을 듣고 이 곳까지 왔다고 했다.

그러나 곧 헛소문이란 것을 알았고, 결국 이 곳에서 일자리를 얻어 살게 되었다고 했다.

그러는 동안 바샤의 집은 습격을 받아 불타 버리고 언니네 또한 형부 갈루진이 집과 재산을 몰수당하고 투옥되어 총살되었을 거라고 했다. 그녀의 조카는 도망쳐 버리고 언니는 친척 집에서 일하며 겨우 먹고산다고 했다.

운명이란 묘했다. 탸구노바는 지바고가 의약품을 징발하려던 약국에서 일하고 있었다. 이런 조치로 약국을 의지해서 살던 사람은 모두 망하게 되었다.

하지만 지바고는 어쩔 수가 없었다. 징발된 의약품 중에는 코카인 병이 하나 있었다. 빨치산 대장은 코카인을 사용하기 시작했다.

빨치산 부대에서는 의사가 할 일이 너무 많았다. 겨울에는 발진티푸스, 여름에는 이질, 게다가 전투로 부상자의 수가 날로 늘어났다. 빨치산 대열은 계속 늘어나고 있었다.

지바고는 빨치산의 병력이 1년 동안 열 배로 늘어났다는 사실을 알았다. 지바고는 새로 임명된 여러 명의 위생병을 부하로 두었다. 그리고 조수가 생겼다. 한 명은 헝가리 공산당원인 케레니였고, 한 사람은 간호병 앙겔라르였다.

국제적십자사 협약에 의하면, 의무 요원은 무장하고 군사 행동을 할 수 없었다. 그러나 지바고는 언젠가 한 번, 이 규정을 어긴 적이 있었다. 전투가 시작되었을 때 그는 싸움터에서 전투병들과 같은 운명에 처해 있었다.

그는 적의 사격을 받고 통신병 옆에 엎드렸다. 백위군이 아주 가까이 왔기 때문에 지바고는 상대의 얼굴을 자세히 볼 수 있었다.

나이가 어린 젊은이들이 많았다. 그들은 나름대로의 의무감과 젊은 나이의 용기를 갖고 돌진해 왔다. 그들은 달리거나 땅바닥에 엎드리지 않고, 똑바로 그냥 걸어왔다. 그래서 빨치산의 총알이 백발백중 그들을 맞혔다.

지바고는 풀 위에 엎드려 교전 과정을 지켜보았다. 그는 낙엽처럼 쓰러져 가는 젊은이들을 안타깝게 바라보았다.

'저들은 무엇을 위해 자기들의 젊음을 기꺼이 버리는 걸까?'

주위에서 사투가 벌어지고 있는데 아무 하는 일 없이 그냥 있는 것이 견딜 수가 없었다. 전투는 계속되었고, 지바고의 동료는 총격을 받고 있었다. 그런데 옆에 있던 통신병이 부르르 경련을 일으키더니 그대로 넘어졌다. 지바고는 그에게 기어가 탄띠와 소총을 집어든 다음, 제자리로 돌아와서는 총을 쏘기 시작했다.

그러나 차마 젊은이들에게 총을 쏠 수가 없었다. 그렇다고 허공에 대고 쏠 수도 없었다. 그래서 고목나무를 겨냥해서 쏘았다. 그러나 사람을 맞히지 않으려고 애써도, 총알이 날아가는 순간 누군가 불쑥 조준선으로 들어와 부상을 당했다. 이리하여 그가 쏜 총에 두 사람이 부상을 당했다. 불행히도 한 사람은 생명을 잃은 것 같았다.

백군 사령부는 결국 후퇴 명령을 내렸다.

지바고는 부상자를 돌보도록 지시하고, 통신병을 살폈다. 그는 이미 숨이 끊어져 있었다.

죽은 통신병의 목에서 부적이 나왔다. 시편 92편에서 발췌한 구절이었다. 이 구절은 탄환을 피할 수 있는 효험이 있다고 군인들 사이에 알려져 있었다. 지바고는 들판에 쓰러진 백위군의 젊은 병사 곁으로 갔다. 한참 어린 소년이었다.

'나는 왜 이 소년을 죽였을까?'

지바고는 소년의 외투 단추를 풀고 앞자락을 펼쳤다. 거기서 접혀 있는 종이 하나가 나왔다. 펴 보니 마찬가지로 시편 92편이었다. 그 때 소년은 신음 소리를 내며 몸을 움찔거렸다. 살아 있었던 것이다. 그는 가벼운 내장 충격으로 기절을 했을 뿐이었다.

가을이 되자, 빨치산은 경사가 가파른 언덕 위에 있는 작은 숲 속에서 야영을 했다.

전에는 카펠 장군 휘하의 백위군이 이 곳에서 겨울을 났다. 백위군이 만든 참호와 지하 통로를 이제는 빨치산이 사용하고 있는 것이다. 지바고와 리베리우스는 같은 참호에서 생활했다. 리베리우스가 이틀 밤 내내 떠드는 바람에 지바고는 잠을 잘 수가 없었다.

"나의 아버지는 지금 무얼 하고 계실까요? 당신은 우리 아버지를 잘 알고 있는 것 같군요. 당신은 우리 아버지를 나쁘게 생각하지 않는 것 같은데?"

"리베리우스 대장, 내일은 선거 집회가 있습니다. 밀조 위스키 사건에 대한 재판도 곧 있고요. 나는 라이오시와 함께 관계 자료를 준비해야 합니다. 거기다 나는 이틀 동안 통 잠을 못 잤어요. 나중에 이야기하는 게 어떨까요?"

지바고의 부탁에도 리베리우스는 계속 아버지 이야기를 했다. 그런 대장에게 지바고가 말했다.

"그런 이야기는 나중에 합시다. 그런데 당신은 코카인을 너무 많이 사용하고 있습니다."

"당신은 어제 학습에 참여하지 않았지요. 당신은 무식한 농부이거나, 완고한 부르주아 같은 위축된 사회 의식을 갖고 있어요. 그것을 어떻게 설명하시겠소?"

"나는 설명하지 않겠습니다. 보나마나 소용 없는 짓일 테니까요. 당신은 날 우습게 볼 겁니다."

"일부러 겸손한 체하지 마시오. 그리고 우리 학습회 강령을 잘 읽어 보시오."

"저는 당신의 교육 활동을 진심으로 존경해요. 동포, 약자, 부녀자에 대한 민중의 군대로서 어떤 태도를 취해야 하는지에 대한 당신의 자료에 감탄했습니다. 나도 소년 시절에는 머리에 그런 것들로 가득 찼었지요. 그러나 10월 혁명 이후에 퍼진 사회 이념은 나를 뜨겁게 불태우지 못했어요. 그리고 그런 개혁이 이루어지려면 아직도 멀었지요. 단지 그 이론을 설명하는 데만 이렇게 많은 피를 흘렸어요. 당신들은 인간 개조라는 말을 자주 쓰지요. 그건 있을 수 없는 일입니다. 그건 인간과 인생을 잘 모르고 하는 말이죠. 사람은 어떤 원료나 소재가 아닙니다. 절대로 물건이 아닙니다. 변화는 스스로의 의지에 의해 생겨나는 것입니다."

"지금 우리들이 처해 있는 어려움 때문에 당신은 의기소침해 있습니다. 우리의 어려움과 환란은 일시적인 것입니다. 끝내 우리는 승리할 것입니다."

'도대체 말 상대가 되질 않는군. 얼마나 단순한 사람인가? 이놈은 내가 패배가 두려워 다른 생각을 하고 있으며, 자기의 희망찬 생각을 들려주면 내가 힘을 얻을 것이라고 생각하고 있군.'

지바고는 리베리우스의 어린애 같은 면에 화가 치밀어 견딜 수가 없었다.

'입을 열기 시작하면 끝이 없어. 몇 년을 똑같은 소리만 하면서도 창피한 줄도 모르고. 이 코카인 중독자!'

그러다가 지바고는 가족 생각이 났다. 토냐는 아기를 낳았을 것이다. 가족들이 어떻게 지내고 있을까를 생각하니 가슴이 미어졌다. 그리고 라라가 생각났다.

늦여름이 지나고 맑은 가을날이 계속되었다. 지바고는 의사 라이오시를 만나 여러 가지 일을 상의하고자 로시 오토크에 왔다.

"용건은 세 가지입니다. 술 밀조자들의 처벌 문제, 야전 병원의 약국 재편성, 정신병 환자의 통원 치료 문제입니다. 어쩌면 당신은 그럴 필요를 전혀 느끼지 못하겠지만 말입니다. 친애하는 라이오시 씨, 우리들은 지금 거의 미치기 직전입니다."

"정신병자라……. 아주 흥미 있는 이야기군요. 그 문제는 뒤로 미루고, 드릴 말씀이 있습니다. 위스키 밀조자들을 동정하는 사람들이 있습니다. 또 백위군에게 점령당한 마을에서 피난을 오는 사람들이 늘어나고 있습니다. 처자와 노인들을 태운 달구지가 계속 오고 있지요. 그래서 빨치산들은 가족들이 도착할 때까지 기다리자고 합니다. 또한 이런 상황에서 우리 부대와 몇몇 부대의 통합 사령관의 선거가 있을 예정입니다. 나는 통합 사령관의 유일한 후보는 리베리우스 동무라고 생각합니다. 그런데 젊은 층에서는 브도비첸코를 밀고 있지요. 그를 내세우는 자들은 우리와는 사상적으로 대립하고 있는 부농과 상인의 자식들입니다. 그리고 이들은 위스키 밀조자와 한패인 것 같습니다. 그 자들이 소란을 피우고 있습니다."

"술을 밀조해 판 위생병들은 어떻게 될까요? 총살 선고를 받지 않을까요?"

"그건 그렇고, 먼저 야전 병원 말인데……."

지바고가 화제를 돌렸다.

"좋습니다. 나도 당신과 같은 의견입니다. 야영지에도 정신병을 앓고 있는 사람이 있지요. 팔르이흐가 그렇죠. 이 사람은 자기가 전사하면 가족이 어떻게 될지 고민하고 있어요. 혹시 가족이 자기 때문에 백위군에게 붙잡혀 고문을 받지 않을까 근심하더니 결국 병에 걸렸답니다. 아마 이리로 호송되고 있는 사람들 중에 팔르이흐의 가족도 있을 겁니다."

"팔르이흐라면 저도 잘 알지요. 그는 언제나 극단적인 처형을 찬성했지요. 그리고 항상 날 괴롭혀 왔어요. 그래요. 어떻게든 정신병을 예방할 수 있는 길을 찾아봅시다."

맑게 갠 화창한 날이었다. 수석 연락 장교 카멘노드보르스키는 빈터에서 카펠 장군의 기록문서 가운데 불필요한 서류를 불태우고 있었다. 숲 속은 무르익은 열매로 가득 찼다. 어려서부터 지바고는 숲 속의 저녁놀을 좋아했다.

"서류를 태우시는군요?"

카멘노드보르스키는 서류 한 장을 호주머니에서 꺼내 지바고에게 보여 주었다.

"의무대의 출발 명령서입니다. 빨치산 가족들은 거의 다 왔습니다. 우리는 언제든지 출발할 준비가 되어 있습니다."

지바고는 종이를 바라보며 중얼거렸다.

"부상병의 수에 비해 차량이 줄었군요. 부상병들을 어떻게 다 후송한담! 의료품이나 의료 기구도 그렇고……."

"어떻게 되겠지요. 우리는 환경에 적응해야 합니다. 아 참, 한 동지를 봐 주세요. 혁명을 위해 모든 것을 바친 훌륭한 투사죠. 그런데 그 사람이 약간 돈 것 같아요."

"팔르이흐 말인가요?"

"예, 도깨비불이 보인대요. 환각이지요. 불면증과 두통도 있고."

팔르이흐를 진찰하러 가는 지바고는 피로가 몰려와 걸을 수도 없을

지경이었다. 며칠 밤을 새운 피곤이 쌓여 일시에 몰려왔다.

그는 참호로 돌아가 눈을 붙이고 싶었지만, 리베리우스가 다시 말을 시킬까 봐 그냥 숲 속으로 갔다. 그리고 적당한 곳을 찾아 누웠다. 비단 결처럼 바스락거리는 나뭇잎 위에 누워, 나무 밑동의 이끼를 베개삼아 올려 놓은 팔에 머리를 파묻었다. 그는 잠시 잠에 취했다가 깨어났다.

근처에서 들려오는 숨죽인 얘기 소리가 지바고의 잠을 깨운 것이다. 몇 마디 가만히 듣고 난 후에 지바고는 그것이 음모라는 것을 알았다. 그들은 지바고가 엿듣고 있다는 사실을 알지 못했다. 만약 들키면 지바고의 목숨은 끝이었다.

지바고는 숨을 죽이고 귀를 쫑긋 세웠다.

목소리로 보아 그들 중 몇 사람은 누군지 알 수 있었다. 빨치산에 끼여든 쓰레기 같은 자들로, 코시카와 사니카였다. 그리고 항상 그들을 따라다니는 어린 갈루진과 자하르도 있었다.

그는 술 밀주 사건에 얽혀 있었지만, 주모자를 고발했다는 이유로 처벌을 면한 사람이었다. 그러나 지바고가 의외였다고 여긴 것은 대장 호위병 중 한 사람인 시보블루이가 있다는 사실이었다.

그들은 적의 기지에서 온 대표들과 교섭 중이었다. 그것은 리베리우스를 사로잡아 백위군에게 넘겨 달라는 것이었다. 지바고는 자기가 리베리우스에 대해 가졌던 감정들을 잊어버리고 음모에 놀라워하며 분개했다. 그는 참호로 돌아가 이 일을 알려야겠다고 생각했다.

그러나 그가 알리지 않아도 결국 이 음모는 실현되지 못했다. 사전에 발각되었던 것이다. 자세한 내용이 밝혀지고 주모자가 체포되었다. 시보블루이가 정탐과 선동의 이중 역할을 한 것이었다. 지바고는 갑자기 시보블루이가 역겨워졌다.

지바고는 팔르이흐를 찾아갔다. 그는 자작나무를 쌓아 놓고 손 도끼를 들고 있었다.

"우리 가족들을 위해 준비 좀 하려고요. 막사가 너무 낮거든요. 비도 새고요."

"당신은 먹지도 못하고 잠을 못 자서 허약해졌다는데, 별로 이상은 없어 보이네요."

두 사람은 쌓아 놓은 자작나무에 앉았다. 팔르이흐는 지바고에게 자신의 이야기를 했다.

"어디서부터 시작해야 할까요? 마누라와 내가 신혼일 때, 우린 어려움이 없었어요. 어린애도 생겼지요. 그러다 전쟁이 나서 군대에 잡혀 갔습니다. 그리고 혁명도 일어났죠. 그 때 나는 눈을 떴습니다. 우리의 적은 독일군이 아니라, 우리 안에 있다는 것을. '부르주아를 쳐부수자' 라는 내면의 소리를 들었지요. 그래서 빨치산에 가담하게 되었어요. 요즘 저는, 우리가 독 안에 든 쥐라는 생각이 들어요. 언젠가는 백위군이 우리를 이길 겁니다. 그런데 나에게는 처자식이 있습니다. 만일 그놈들의 세상이 되면, 처자식은 어떻게 될까요? 놈들은 마누라를 묶어 놓고 고문할 거예요. 당신은 나에게 왜 잠을 못 자느냐고 물었죠? 사람이 쇳덩어리로 만들어졌다고 해도, 그런 생각을 하면 잠을 잘 수가 없지요. 그냥 미치고 말겠어요."

"나는 당신을 이해할 수가 없어요. 당신은 몇 년 동안 가족과 떨어져 있으면서도 가족에 대해 관심이 없었잖아요. 그러다가 이제 그들을 만나게 되었는데 좋아하기는커녕 걱정만 하고 있습니다."

"백위군 놈들에게 당할 판국이니 그렇지요. 나야 어찌 되든 상관 없지만 가족들은 무슨 죄가 있어 나 때문에 고초를 당해야 합니까? 내 손은 피로 물들었어요. 나는 많은 사람들을 죽였어요. 그것을 아무렇

지도 않게 여겼지요. 그리고 아무렇지 않게 살았어요. 그런데 딱 한 사람이 머릿속에 남아 좀처럼 떠나질 않아요. 조그마한 젊은이였지요. 무엇 때문에 그를 죽였는지 생각이 나지 않아요. 나는 그저 장난처럼 이유도 없이 그를 죽였어요. 2월 혁명 때였지요. 우리는 폭동을 일으키고 있었어요. 기차 정거장 근처에서였지요. 우리는 전선을 포기하고 떠났었습니다. 그런데 우리를 전선으로 복귀시키려고 젊은 친구가 파견되었습니다. 승리할 때까지 계속 싸우라고 설득하려는 거였죠. 그 사람은 견습 사관학교 생도로 애송이였어요. 그가 구호를 외치며 플랫폼에 있던 물통으로 올라갔어요. 모든 사람들이 다 내려다보이는 높은 곳에서 우리들에게 나가서 싸우라고 호소하려는 속셈이었죠. 나가서 싸우다가 죽으라고……. 그런데 물통 뚜껑이 뒤집히면서 그는 물 속에 풍덩 빠지고 말았어요. 그 모습이 얼마나 우스웠던지 옆구리가 결리는 것 같았어요. 그 때 나는 데굴데굴 구르며 웃었답니다. 마치 그 사람이 나를 간지럼 태우는 것 같았어요. 그러다가는 그에게 총을 겨누고 한 방 쏘았어요. 그는 그 자리에서 죽고 말았죠. 왜 죽여야 했는지 지금도 모를 일이에요. 지금도 밤이 되면, 그 정거장이 눈에 선하게 나타납니다."

"혹시 멜류예제보 근처의 비류치라는 역이 아닙니까?"

"글쎄요. 잘 기억이 나질 않는군요."

아름다운 마가목나무

빨치산의 가족들이 마차를 타고 도착했다. 거기에는 어떤 병사의 아내로, 수의사이고 점쟁이 노릇을 하던 쿠바리하라고 불리는 여인이 있었다. 이 무렵 빨치산은 새로운 숙영지에 머물렀다. 새 숙영지는 수목이 빽빽이 들어찬 밀림이었다.

지바고는 처음 그 곳에 도착했을 때 시간이 나면 발길이 닿는 대로 숲 속을 걷다가 여러 번 길을 잃을 뻔했다. 그가 다녀온 곳 중에 침엽수림의 끝이 있었다. 거기에는 멋진 녹색 마가목나무가 한 그루 있었다. 그 나무는 하늘을 찌를 듯이 가지를 높이 뻗치며, 회색빛에 젖어든 늦가을 하늘에 단단한 진홍빛 열매를 방패처럼 펼치고 있었다. 바로 옆은 낭떠러지였다. 낭떠러지 밑으로는 골짜기와 잡초가 무성하게 펼쳐졌다.

빨치산 음모에 가담했던 열한 명의 범인들과 술을 밀조한 두 명의 위생병에 대한 사형 집행을 여기서 하게 되었다.

몹시 춥고 음산한 아침이었다. 빨치산들이 죄수들을 형장으로 끌고 나왔다. 죄수들은 오랫동안의 심문과 학대로 거의 사람의 얼굴이 아니었다. 그들을 체포했을 때 이미 무기를 압수했으므로 처형될 마당에 다시 몸수색을 할 필요는 없었다. 몸수색을 다시 한다면, 그것은 죽음을 앞둔 사람들을 더욱 비참하게 만드는 것이었다.

그런데 브도비첸코의 친구이며 무정부주의자였던 한 사람이 갑자기 경비병을 향해 권총을 빼들었다. 그리고는 음모를 알린 이중첩자인 시보블루이를 겨누어 세 발의 총탄을 발사했다. 그는 명사수였으나 흥분한 나머지 빗나가고 말았다. 권총에는 아직 세 발의 탄환이 남았다. 그러나 그는 더 이상 쏘지 않고, 화가 난 나머지 권총을 바위에 던졌다.

그 충격으로 권총이 저절로 발사되어 같은 죄수인 한 사람의 발에 맞았다. 그는 비명을 지르며 데굴데굴 굴렀다. 그는 소리를 지르며 죽음이 기다리고 있는 낭떠러지로 갔다.

죄수들은 갑자기 목숨만은 살려 달라고 애걸했다. 나이 어린 갈루진은 미친 듯이 소리쳤다.

"잘못했어요. 용서해 주세요! 다시는 그러지 않을 테니 제발, 풀어 줘요. 하라는 일은 무엇이든 다 할게요."

그러나 브도비첸코는 당황하는 빛을 보이지 않았다. 그는 백발이 성성한 머리카락을 날리며 쩡쩡 울리는 음성으로 말했다.

"우리 절대로 천박한 행동을 하지 말세. 역사가 반드시 진실을 말해줄 걸야. 후세들에게 이 공산주의 전제정치의 반동 귀족들을 세상에 폭로할 걸세. 정신의 혁명 만세! 세계 무정부주의 만세!"

그 때 스무 발의 총성이 울리더니 사형수의 반수가 그 자리에서 쓰러졌다. 나머지 사람들은 아직 죽지 않았다. 다시 총알이 날아왔다. 어린 갈루진이 누구보다 오래 몸을 뒤틀었으나, 그도 얼마 후 움직일 수 없는 몸이 되고 말았다.

빨치산은 이동할 시기를 놓쳐 어디로도 움직이지 못하게 되었다. 그리고 최악의 상황에 처했다.

백위군은 숲 속의 빨치산을 소탕하기로 하고, 포위망을 형성하여 여러 방향에서 빨치산을 압박해 왔다. 다행히 겨울이 다가오고 있어 여러 가지 조건들로 포위망은 더 이상 좁혀지지 않았다. 빨치산은 병사들은 물론, 하급 지휘관들의 사기마저 몹시 저하되었다. 상급 지휘관은 밤마다 회의를 열고 대책을 의논했으나 뾰족한 해답을 찾지 못했다. 일단, 밀림 한복판에 방어 시설을 갖추기로 했다.

한겨울이 되면 눈이 뒤덮여 스키 장비가 없이는 적군이 접근할 수 없다는 이점이 있었다. 그들이 해야 할 일은 진지를 구축하고, 식량을 확보하는 것이었다. 병참 참모 비슈린은 밀가루와 감자가 부족하다고 보고했다. 그나마 빨치산 가족들이 소를 끌고 와서, 겨울 내내 우유와 고기는 먹을 수 있다고 했다.

지바고가 가지고 있는 의약품은 키니네와 염산소다, 요오드 용액 정도였다. 요오드는 굳어서 상처의 치료나 수술을 위해서는 알코올에 녹

여서 사용했다. 이렇게 되자, 술을 몰래 만들던 설비를 부순 것을 후회했다. 비교적 죄가 가벼워서 방면된 술 밀조자들에게, 양조 시설을 고쳐 의료용 알코올을 제조하게 했다. 빨치산들은 다시 음주를 몰래 시작했다. 음주는 병사들의 사기를 더욱 떨어뜨렸다.

그 무렵 지바고는 팔르이흐와 그의 가족을 만났다. 팔르이흐의 아내와 두 딸과 어린 아들의 얼굴은 긴 여행으로 피곤한 기색이 역력했다. 특히 아내는 생기를 잃고 있었다.

팔르이흐는 가족에게 헌신적이었고, 아이들을 극진히 사랑했다. 그는 나뭇조각을 깎아 토끼나 닭, 곰 등의 장난감을 만들어 주었다. 지바고는 팔르이흐의 목각인형 만드는 솜씨에 놀랐다. 가족이 오자 팔르이흐는 기운을 회복하고 병도 많이 나아졌다.

겨울이 닥쳐올 무렵, 숙영지는 한동안 어수선한 공기가 감돌았다. 백위군이 포위망을 구축했다는 것이다. 숙영지에 있던 피난민들과 포위부대의 후방에 남아 있던 주민들은, 백위군의 장군 이름만 들어도 벌벌 떨었다.

빨치산은 가만히 앉아 있을 수가 없었다. 백위군의 공격을 수동적으로 받아들이는 것은 적의 사기만 높이는 일이었다. 그들은 선제 공격을 해야 했다.

여러 날에 걸친 격렬한 전투 끝에 마침내 빨치산은 백위군을 이기고 그들의 후방까지 돌진했다. 그런데 돌파구는 밀림 속을 뚫고 숙영지에 이르는 길을 만들어 놓아, 새로운 피난민들이 쏟아져 들어오게 되었다. 숙영지에는 그렇지 않아도 사람이 너무 많아서 고민이었는데, 여간 골치가 아픈 게 아니었다. 그래서 도중에 피난민을 막아 칠림카 강변에 있는 마을로 보내려고 대표를 파견하게 되었다.

그런데 백위군이 빨치산 진지의 돌파구를 막았다. 따라서 돌파해 나갔던 빨치산 부대는 고립되어 숲으로 돌아올 수가 없었다. 또한 피난민 여자들은 더 골칫덩어리였다. 여자들은 나무를 찍어 길을 내고, 다리를 만들어 숙영지까지 자꾸자꾸 들어왔다. 거기다가 병사들은 자주 길을 잃었다. 이런 사태는 리베리우스의 계획을 송두리째 흔들어 놓았다.

팔르이흐의 아내가 병에 걸린 암소를 데리고 쿠바하리에게 갔다. 사람들이 쿠바하리에게 몰려들었다. 그녀가 어떻게 소의 병을 낫게 하는지 보고 싶었던 것이다. 지바고도 그 곳에 있었다.

"이 소는 젖이 아주 말라 버린 모양이에요. 새끼를 가진 것 같은데 젖이 말라 있으니 걱정이에요."

팔르이흐 아내의 말에 쿠바하리가 이렇게 대꾸했다.

"새끼를 밴 게 아니오. 젖꼭지에 탄저병의 부스럼 딱지가 붙어 있어요. 우유에 담갔던 약초를 줄 테니 발라 줘요. 물론, 내가 주문을 읊어 줄게요."

"저기……. 제 남편 때문에 걱정이 있습니다."

"바람기를 잡아 드리죠."

"바람 피우는 것이 아니에요. 차라리 바람이나 피웠으면 좋겠어요. 나와 아이들을 너무 걱정하다 보니, 몸도 마음도 모두 곪았답니다. 저는 남편이 무슨 생각을 하는지 알아요. 남편이 죽으면 우리가 백위군한테 잡혀서 고문을 받을까 걱정을 한답니다."

"기도를 해 주지요. 그런데 소 병을 고쳐 주면 뭘 줄 거죠?"

"어떤 것을 원하세요?"

"빵 한 덩이와 당신의 남편."

그 말에 구경꾼들이 일제히 폭소를 터뜨렸다.

"네?"

"너무 비싸다면 당신의 남편만 받지요."

웃음소리가 더 높아졌다.

쿠바리하는 암소에게 주문을 걸기 시작했다. 지바고는 얼이 빠져서 그녀의 정열적인 주문을 들었다. 지바고는 점쟁이가 읊어 대는 주문에 그만 넋이 나갔다. 그리고 터무니없는 그 소리에 깊은 감명을 받았다. 주문은 마치 멋진 말들을 옮겨 놓은 듯했다. 지바고는 구비 문학의 아름다움을 발견했다.

피투성이가 된 한 사람이 쓰러져 있었다. 아직 숨을 쉬고 있었으나 그의 오른쪽 팔과 왼쪽 다리는 잘려 있었다. 이런 몸으로 숙영지까지 기어올 수는 없었다. 그의 뒤에는 널빤지가 매달려 있었다. 여러 가지 욕설과 함께 이 조치는 어떤 적위군 부대의 만행에 대한 보복이라고 적혀 있었다. 그리고 어느 기한까지 빨치산이 항복하여 비츠인 군단의 대표에게 무기를 인도하지 않으면, 한 사람도 남기지 않고 이렇게 해 버리겠다는 위협의 말도 있었다.

그 사람은 피를 흘리면서 가느다란 목소리로 말했다. 공포를 주기 위해 팔과 다리를 자른 것이라고……. 백위군이 숙영지 근처까지 자기를 데리고 와서, 땅바닥에 내려놓고는 기어가도록 명령하고 총를 쏘면서 위협했다고 했다.

그는 힘없는 목소리로 말했다.

"동지들, 조심하세요. 적이 방어선을 돌파했어요. 이제 곧 전투가 시작될 거예요. 그 사람들은 아주 잔인해요."

"누가 당신을 이렇게 만들었소?"

"비츠인 군단 놈들이요. 당신들은 너무 모르고 있군요. 그놈들은 산 채로 사람을 삶아 죽이거나 가죽을 벗겨요. 한번은 우리를 컴컴한 곳으로 떼밀었어요. 거긴 화물차였는데 속옷만 입은 사람들이 많았어요. 기분이 나쁘면 문을 열고 손을 집어 넣어 잡히는 대로 끌어 내어 괴롭힙니다. 몸뚱이가 녹초가 되도록 때리다가 상처에 소금을 문지르고 뜨거운 물을 끼얹습니다."

이 불행한 남자는 무엇인가 더 말하려다 그만 축 늘어지고 말았다.

그날 밤, 끔찍한 사건이 일어났다. 팔르이흐가 그 남자가 죽는 것을 보고는, 자기가 죽을 경우 가족에게 닥칠 비극을 생각하여 가족들을 모두 죽여 버린 것이다. 딸과 아들에게 목각인형을 만들어 주던 그 칼로, 자식과 아내를 죽였다. 하지만 그는 자살하지 않았다. 그는 흐린 눈으로 숙영지를 돌아다니다가 동쪽 하늘이 밝아 올 무렵 사라졌다. 그리고 다시는 숙영지에 나타나지 않았다.

오솔길을 걷던 지바고는 리베리우스를 만났다.

"오래간만이군요. 오늘 저녁에 내 막사로 오시오. 전할 말이 있어요."

"바르이키노에서 무슨 소식이라도?"

"당신과 우리 가족 소식은 하나도 없소. 그러나 그게 다행이오. 아마도 가족들은 안전한 것 같소. 아무튼 오늘 밤에 이야기합시다."

리베리우스는 말을 마친 다음 저쪽으로 가 버렸다.

그날 밤, 지바고는 리베리우스 막사로 갔다.

"우리 가족에 대해 알고 있는 것이 있소?"

"정확한 것은 없소. 내란은 이제 끝났소. 콜차크 군은 전멸되었소. 적위군은 철도를 따라 동쪽으로 이동 중이오. 적위군의 다른 부대는 우리와 합류하기 위해 이리로 오고 있소. 러시아 남쪽 지방에는 백위군의 그림자도 볼 수 없소."

"우리 가족은 어떻게 되었나요?"

"바르이키노에는 없어요. 그건 다행스런 일이오. 정체 불명의 사람들이 바르이키노를 습격했다는 소문을 들었소? 마을은 폐허가 되었다오. 그걸로 보아 무슨 일이 있었던 게 확실해요. 그러니까 내 가족과 당신 가족이 거길 도망친 것은 참 잘한 거지요."

지바고는 밖으로 나왔다. 빨치산 부대에서 1년 반 동안 지낸 세월이 그의 머릿속에서 스쳐갔다. 그리고 사샤를 안고 눈보라 속을 헤쳐 나가고 있을 토냐가 떠올랐다.

'나는 잊고 있었어. 토냐에게는 아이가 둘이고, 어린 놈은 아직 젖먹이라는 사실을. 나는 아버지라고 불릴 자격이 없어. 장인은 어떻게 되었을까? 또 다른 사람들은?'

그는 막사로 돌아가려다가 이 곳을 도망쳐 유리아틴으로 떠나야겠다고 결심했다. 그는 오래 전부터 스키와 건빵 등을 넣은 주머니와 그 밖에 도망가는 데 필요한 물건을 숨겨 놓고, 그 곳에 표시를 해 두었다.

보름달이 휘영청 밝은 밤에 그는 탈출을 계획했다. 그는 경비병이 어디에 있는지 알기 때문에 처음에는 경비병을 잘 피했다. 그러다가 보초 한 명에게 들키고 말았다

"정지! 움직이면 쏜다. 누구냐? 암호를 대라!"

"왜 이래? 자네 날 모르겠나? 나는 부대 군의관 지바고다."

"죄송합니다. 나쁜 뜻은 없었습니다. 하지만 규칙대로 해야 합니다. 더 이상은 못 갑니다."

"알았네. 암호를 대겠네. 붉은 시베리아."

"됐습니다. 그런데 이 한밤중에 무슨 일입니까? 환자라도 있나요?"

"잠이 안 와서 밤공기를 쐬려고 하네. 마가목나무에 얼어붙어 있는 열매를 따 먹으려고."

이렇게 지바고는 보초를 따돌렸다. 그리고 서둘러 숙영지를 빠져 나왔다.

조각상 맞은 편 집

백위군이 적위군에게 유리아틴을 내주고 퇴각한 것은 최근의 일이었다. 총성이 멎고 전쟁의 공포가 끝났다. 그러나 사람들의 불안감과 경계심은 여전했다. 길 가던 사람들이 고시문을 읽고 있었다.

> 식량을 매점하여 감춘 사람은 발견하는 즉시 총살에 처할 것임. 식량 질서를 위해 착취 계급에 속하지 않는 사람은 소비조합에 가입할 것. 무기를 갖고 있는 자, 새로 허가증을 발부받지 않고 휴대하는 자는 엄벌에 처할 것임.

이상한 차림을 한 남자가 사람들 틈에 끼어 고시문을 읽고 있었다. 오랫동안 세수를 하지 않았는지 시꺼먼 때가 얼굴에 잔뜩 묻어 있었다. 길게 자란 머릿카락과 수염, 바로 유리 지바고였다.

그는 한 시간 전에 이 도시로 들어왔다. 그는 철길을 따라 계속 걸어왔다. 도처에 백위군의 열차가 내버려져 있었다.

철도 주변에는 떠돌이나 범법자, 정치범이 많았다. 그리고 티푸스와 동사로 죽은 시체들이 즐비했다. 지바고는 사람의 그림자를 만나면 피했다.

그 때 우연히 낯익은 사람을 만났다. 눈 속에 묻힌 열차에 소년 한 명이 있었다. 그는 숲 속에서 처형을 당했던 갈루진이었다.

지바고는 그가 총살을 당해 죽은 줄 알았다. 그런데 총알이 급소를

피해가서 잠시 실신해 있다가 다시 깨어나 처형장을 도망쳐 고향으로 돌아가는 길이었다.

지바고는 고시문을 읽어 보려고 중앙출판위원회 석조 건물로 갔다. 그러다가 맞은편 3층 창문으로 시선을 옮겼다. 라라가 사는 집이었다.

지바고는 용기를 내어 라라의 집으로 갔다. 그는 노크를 하려다 자물쇠가 채워져 있는 것을 보았다. 지바고는 혹시나 하고, 예전에 열쇠를 숨겨 두던 구멍에 손을 넣어 보았다. 그다지 기대를 하지 않았는데 열쇠와 편지가 있었다. 그 편지는 라라가 지바고에게 쓴 것이었다. 지바고는 급하게 편지를 읽어 내려갔다.

당신이 살아 있다는 말을 들었어요. 근처에서 당신을 보았다는 사람이 나에게 달려와 이야기해 주었어요. 당신이 바르이키노로 가실 것 같아 그리로 가요. 하지만 만일을 대비해서 열쇠를 여기에 넣어 두었어요. 내가 돌아올 때까지 아무 데도 가지 말고 기다려 주세요. 먹을 것을 좀 두고 가요. 삶은 감자뿐이에요. 당신이 돌아와서 너무 기뻐 미칠 것 같아요.

지바고는 편지 뒷장에 뭔가 써 있는 것을 발견하지 못하고 편지에 입을 맞추고는 주머니에 넣었다. 지바고는 가족 생각이 나자, 참을 수 없는 슬픔에 젖었다. 그러나 언제까지 슬픔에 젖어 있을 수만은 없었다. 밖이 어두워지기 시작했다. 지바고는 다시 밖으로 나왔다. 거리에 나붙은 다른 고시문을 읽어 두어야 했기 때문이다.

여기저기에 연설문, 포고문 등이 붙어 있었다. 지바고는 대강 훑어보았다. 유산 계급의 재산 몰수와 과세 기준, 노동자들의 통제권 수립, 공장 및 작업장 위원회 운영 등, 이 도시를 지배하게 된 새로운 권력이 선포한 성명들이었다.

동일한 말투의 끝없는 반복에 지바고는 현기증이 났다. 타협을 모르는 말투와 단순하고 독선적인 사상에 짜증이 났다.

그는 라라의 집으로 돌아왔다. 방 안은 초봄의 저녁 빛에 젖어 있었다. 그는 눕기 전에 우선 머리와 수염을 깎고 싶었다. 그러나 면도칼이 없었다. 집 안을 뒤져 보았으나 가위도 없었다. 오래 전이기는 하지만, 스파스카야 거리에 양장점이 있던 기억이 났다. 혹시 그 가게가 아직도 있다면, 문을 닫기 전에 가위를 좀 얻어 쓸 수 있을 것이라고 생각하고 거리로 나갔다.

다행히 양장점이 그 자리에 있었다. 가게 안에서는 재봉사와 몇 명의 여자들이 재봉틀을 돌리고 있었다. 지바고는 진열장 유리를 두드려 들어가게 해 달라고 손짓했다. 그러자 안에서는 개인 주문은 받지 않는다는 손짓을 했다. 지바고가 다시 안으로 들어가겠다고 손짓을 하자, 일을 방해하지 말고 가라고 했다. 누더기를 입고 있는데다 이상한 짓을 하는 것으로 보아 분명히 머리가 돈 사람이라고 생각한 모양이었다. 그래서 뒷문으로 들어갔다.

"왜 이렇게 귀찮게 구는 거요?"

"다름이 아니라, 가위를 잠깐 빌리려고요. 놀라지 마세요. 머리하고 수염만 자르고 돌려 드리겠습니다."

"그랬군요. 내가 깎아 드리죠. 나는 이발을 할 줄 알거든요. 난 일생 동안 안해 본 일이 없어요. 이발사도 했지요. 이번 전쟁 중에 간호사로 일하면서 이발을 배웠어요. 그런데 여긴 어떻게 왔나요? 이 고장 사람 같지는 않은데……. 국도를 따라 왔나요?"

"주로 철길을 따라 걸었습니다."

"그랬군요. 여기 와서는 함부로 말을 하면 안 돼요. 벙어리처럼 입을 다물고 사는 게 좋아요. 이 도시 사람들은 별일을 다 겪었어요. 백위군이 있을 때는 참혹한 일이 많았지요. 거의 지옥이었어요. 약탈, 살인, 방화, 인간 사냥까지 있었습니다. 예를 들면, 안하무인이던 말단 관리가 있었는데 어떤 소위가 마음에 안 든다는 거예요. 그래서 그를 처형장으로 끌고 갔어요. 부인이 가만히 있었겠어요? 무슨 이유로 내 남편을 처형하느냐고 악을 쓰며 높은 귀족한테 진정하러 갔어요. 그런데 바로 이웃에 그 귀족을 잘 아는 여자가 있었어요. 그 여자가 힘을 써 주어서 많은 사람을 구했답니다. 게다가 그 높은 귀족도 아주 인정이 많은 사람이라 부탁하면 들어주었지요. 갈리울린 장군이라고 했어요."

지바고는 그 여자가 분명 라라라고 생각했다.

"물론, 지금은 그 때와는 달라요. 총살이나 밀고, 수색은 여전하지만 근본 사상이 달라요. 지금 정권은 평민의 편이죠. 우리는 네 자매랍니다. 그런데 모두 노동자예요. 그러니 자연히 볼셰비키에 기울었지요. 언니 하나는 죽었어요. 정치를 하는 사람한테 시집을 갔는데 말예요. 아들 하나를 낳았어요. 나에게는 조카가 되지요. 조카는 이 지방 농민 봉기자들의 두목이랍니다. 이 지방에서는 유명한 사람이죠. 그 애 아버지는 바르이키노에 살았어요."

지바고는 이 말을 듣고는 이 여자가 바로 리베리우스의 이모란 것을 알았다.

"조카는 어려서부터 민중의 일에 관심이 많았어요."

"혹시 당신은 바르이키노 얘기를 들었나요? 그 곳은 외진 곳으로 안전하지 않아요?"

"그렇지도 않은 거 같아요. 여기보다 더했다고 해요. 정체 불명의 비적단이 바르이키노를 거쳐 갔는데 우리 말을 못하는 놈들이었대요. 그놈들이 그 곳에 사는 마을 사람들을 모조리 거리로 끌어내 총살을 했다지 뭐예요."

"당신 형부가 거기 산다고 했지요? 그 분도 변을 당했나요?"

"아뇨, 하느님이 도우셔서 도망을 쳤어요. 어디로 갔는지는 몰라요. 하지만 죽지 않은 것은 확실해요. 또 모스크바에서 온 사람들도 살고 있었는데, 그들도 비적단이 오기 전에 떠났어요. 그 집 가장인 젊은 의사는 행방 불명이 되었는데 아마 죽었을 거예요. 그러는 동안 그 집 노인은 고향으로 돌아갔어요. 대학 교수라고 들었는데 아마 나라에서 필요해서 소환했나 봐요. 그 가족은 고향인 모스크바로 갔어요. 백위군이 이 곳에 쳐들어오기 직전이었지요."

지바고는 자기 가족이 모스크바로 떠났다는 사실을 이렇게 알게 되었다.

라라의 집으로 돌아온 지바고는 아궁이에 장작을 넣으려다, 문득 장작에서 'K.D'라는 낙인을 보았다. 그것은 어느 창고에서 출고된 것인지를 알리는 표시였다. 이 표시를 보고 지바고는 당황했다.

라라 집에 이런 장작이 있다는 것은 삼데뱌토프가 라라의 생활을 돌봐 주고 있다는 뜻이었다. 삼데뱌도프가 지바고에게 도움을 주었듯이 라라도 도와주고 있는 것이 분명했다. 이런 생각이 들자 지바고는 가슴에 칼을 맞은 것 같았다.

지바고는 두 사람 사이가 궁금해지면서 질투가 생겼다. 벽난로에서 불이 활활 타오를수록 지바고의 질투심은 걷잡을 수 없을 정도로 커졌다. 그러다가 가족 생각을 했다.

'우리 가족은 지금 모스크바에 있단 말이군. 나도 없이 그 먼 거리를 어떻게 갔을까? 장인은 다시 대학에서 강의를 하시는 걸까? 아아, 가슴이 답답해지는군. 토냐는 임신했었는데 벌써 아이를 낳았겠지. 아들일까, 딸일까? 라라가 우리 집 소식을 몰랐을 리가 없는데, 왜 편지에는 우리 가족 이야기를 한 줄도 쓰지 않았을까?'

지바고는 다시 라라를 생각했다.

'나는 삼데뱌토프처럼 세력과 외모를 고루 갖춘 사람이 아니야. 나 같이 아무 장점도 없는 남자를 라라가 좋아할 리가 없어.'

이런 생각을 하자 지바고는 눈물이 나왔다. 지바고는 라라의 편지를 꺼냈다. 그리고 아까 읽지 못했던 편지의 뒷장을 발견했다.

가족 소식은 알고 계신지요? 그 분들은 모두 모스크바로 떠나셨어요. 토냐는 딸을 낳았습니다. 자세한 것은 만나서 말씀 드릴게요. 말을 한 필 구하기 위해 나가 봐야겠어요. 말을 구하지 못하면 곤란해요.

지바고는 라라가 삼데뱌토프에게 말을 빌리러 갔을 거라고 생각했다.

페치카가 달아오르고 방 안이 따뜻해졌다. 지바고는 간단히 식사를 했다. 몸이 나른해지면서 졸음이 몰려와 소파에 누워 잠이 들었다. 잠이 든 사이에 지바고의 몸은 열이 펄펄 끓었다. 잠결에 '티푸스가 아닐까? 아니야. 긴 여행 때문에 피곤한 거야.' 라고 생각했다.

고열로 실신 상태에 있으면서도 그는 이따금 의식을 되찾았다.

'병에 걸린 거야. 이건 의학책에도 없는 새로운 티푸스 같아. 뭘 좀 먹지 않으면 굶어 죽을지도 몰라.'

의식이 있을 때 지바고는 이런 생각도 했다.

'도대체 얼마나 누워 있는 것일까? 몇 시간이 흘렀을까?'

다시 잠이 들었다가 얼마 후 눈을 떠 보니, 창문이 분홍빛으로 물들어 있었다. 바로 옆에서 누군가의 목소리가 들린 것 같았다. 지바고는 자신이 깨끗이 몸을 씻고 깨끗한 셔츠를 입고 소파가 아닌 침대에 누워 있다는 사실을 알았다.

그리고 누군가 곁에 앉아 지바고의 얼굴 가까이에 얼굴을 묻고 울고 있다는 사실을 알았다. 라라였다. 지바고는 너무 행복해하며 다시 의식을 잃었다.

지바고의 건강은 좋아지고 있었다. 라라는 정성껏 시중을 들었다. 지바고가 어느 정도 건강을 되찾았을 때 라라가 말했다.

"가족을 찾아가셔야 해요. 당신을 붙잡지는 않겠어요. 하지만 주위 사정을 살펴 보고 가세요. 당신이 앓고 있는 동안, 이 고장은 많은 변화가 있었어요. 이 곳 창고에 비축해 두었던 식량을 모스크바로 모두 가져가고 있어요. 이 고장 사람들은 굶어 죽기 직전이에요. 편지도 보낼 수 없고 여객 열차도 없어요. 오직 화물 열차만 있어요. 이런 판국에 가족들을 찾아 떠날 수는 없어요. 우선 건강을 회복하고 기운을 차린 후 찾아 가세요. 만약, 내가 당신이라면 가족에게 돌아가기 전까지 일을 하겠어요. 당신은 의사잖아요. 그러니 전문적인 일을 할 수 있을 거예요. 당신 출신은 이 정권에게 유리하지 않아요. 자살한 백만장자의 아들이고, 당신 부인은 이 곳 지주의 손녀죠. 거기다 당신은 군사 혁명 대열에서 탈주했잖아요. 그건 나도 마찬가지예요. 그래서 난 지방 교육부에 나가 일하겠어요. 우린 지금 발등에 불이 떨어진 거와 같아요."

"그건 또 무슨 말이오? 혹시 스트렐리니코프 때문인가?"

"맞아요. 그 사람에겐 적이 많아요. 적위군이 승리하고 비당원인 군인으로서 높은 위치에 올라간 사람은 제일 먼저 모가지감이래요. 파샤는 그래서 더욱 위험한 입장에 처해 있어요. 파샤는 생명의 위협을 느끼고, 극동 지방으로 도주해서 어딘가에 숨어 있대요. 그이 이야긴 그만둘게요. 난 울고 싶지 않아요. 하지만 그 사람 생각만 하면 눈물이 나와요."

"당신은 아직도 파샤를 사랑하나?"

"난 파샤의 아내예요. 그는 깨끗한 성품을 가진 사람이에요. 난 그에게 많은 죄를 지었어요. 그건 그렇고 당신 부인 토냐는 정말 사랑스러운 여자더군요. 마치 보티첼리 그림의 여인처럼요. 토냐가 아기를 낳을 때 내가 돌봐 주었어요. 토냐와 나는 아주 친했어요. 하지만 그 이야기도 나중에 해요. 그보다 우리 함께 나가서 일해야 해요."

"바르이키노에선 왜 그렇게 오래 있었소?"

"카텐카랑 당신이 살던 집을 정리했어요. 당신 집이 엉망이 된 것을 보여 드리고 싶지 않았어요.”
“어느 정도인데?”
“아주 더러웠었는데 이젠 괜찮아요.”
“토냐 이야기를 해 주오. 딸아이 이름은 뭐요?”
“마샤예요. 당신 어머니 이름을 땄어요.”
“당신에게 말을 빌려 준 삼데뱌토프란 사람은 재미있는 인물이야. 안 그래?”
“맞아요.”
“나도 그 사람을 잘 알아. 우리 가족들을 많이 도와주었지. 당신도 그 사람의 도움을 받았소?”
“줄곧 도움만 받았어요. 그 사람이 없었다면 우린 살기가 막막했을 거예요.”
“그 사람은 당신에게 접근했겠지.”
“예.”
“당신도 그 사람에게 다정하게 굴었소? 이런 걸 물을 권리는 없지만…….”
“괜찮아요. 당신은 나와 그 사람이 어떤 관계인지 궁금한 거죠? 걱정하지 마세요. 그 사람이 나에게 보석을 잔뜩 쌓아 놓아도, 나를 위해 목숨을 내어놓아도 그에게는 매력이 없어요. 나는 태어나면서부터 그런 사람을 싫어해요. 돈이 많으면서 여자들에게 친절한 남자! 그는 내가 아는 어떤 사람과 닮았어요. 내가 이렇게 된 것도 다 그 사람 때문이지요. 나는 그 남자에게 길거리 여자 같은 취급을 당했어요.”
“짐작은 했어요. 그러나 그건 다 지나간 일이오.”
“나는 순결을 잃었어요. 인생의 시작에서 그런 일만 없었어도, 나는 다른 눈으로 인생을 바라보았을 거예요. 그리고 그것 때문에 좋은 사람과의 결혼 생활마저 파탄에 이른 거지요."

"당신을 망쳐 놓은 그 사람은 대체 어떤 사람이오?"

"꽤 유명한 변호사예요. 아버지의 친구였어요. 이름을 가르쳐 줄까요?"

"나도 그 사람을 알고 있어요. 코마로프스키 변호사. 그 사람은 우리 아버지의 변호사이기도 했소. 법률 고문으로 일하면서 우리 아버지를 술에 빠지게 했고, 사업을 망치게 해서 파산시킨 사람이지요. 그리고 자살로까지 몰아넣은 사람이에요. 난 그놈 때문에 고아가 되었다오."

"우린 정말 기이한 인연이군요. 그 사람은 나와 당신 모두에게 악령과 같은 사람이군요."

"당신 남편 이야기를 해 줘요. 그렇게 사랑한 사람과 어째서 금이 갔을까?"

"그건 말로 설명하기 어려운 문제예요. 나는 그 사람이 다시 옛날의 파샤 안티포프로 되돌아온다면, 내 모든 것을 희생할 수 있어요. 당신까지도."

그러더니 라라는 지바고의 목을 얼싸안고 울었다. 잠시 후에 라라는 눈물을 닦으며 말을 이었다.

"아니에요, 아니에요. 난 당신을 사랑해요. 이런 말을 하는 것은 당신을 토냐에게 돌려보내야 하기 때문이에요. 우린 앞으로 어떻게 될까요? 어떻게 하면 좋을까요?"

라라는 흥분을 가라앉히고 남편 이야기를 시작했다.

"우린 전쟁이 나기 2년 전에 결혼했어요. 겨우 가정을 이뤘을 때 전쟁이 터졌어요. 전쟁이 바로 우리 가정의 불행의 원인이죠. 평화롭고 순박하던 세상이 뒤집히고 통곡의 세계가 된 거예요. 판에 박힌 구호가 난무했어요. 우리 가정도 그 무서운 파괴력에 대항할 수 없었지요.

파샤는 그 때 피할 수 없는 실수를 했어요. 나와 딸을 버리고 그 전쟁의 광기 속으로 들어간 거죠. 파샤는 자원해서 아무도 강요하지 않은 전쟁터로 나갔어요. 그는 그런 방식으로 역사에 항거하고 있는지도 몰라요. 그런 어리석음 때문에 그는 어쩌면 파멸할지도 몰라요. 아아, 그이를 살리고 싶어요."

어느덧 여름이 지났다. 지바고는 완전히 건강을 회복했다. 그는 세 군데서 일을 했다. 인플레이션이 극심해서 여러 곳에서 일을 해야 겨우 먹고 살 수 있었기 때문이다.

지바고는 열흘에 서너 번씩 진료소에서 리게티의 집으로 가야 했다. 유리아틴 시 보건부 회의에 참석하기 위해서였다. 시내 반대쪽에는 삼데뱌토프의 아버지가 시에 기증한 산부인과 연구소 건물이 있었다. 부인이 삼데뱌토프를 낳다가 죽은 것을 추모하기 위해 세운 것이었다.

밤늦게 집으로 돌아오면, 라라는 식사 준비며 세탁 등으로 바빴다. 그리고 세 식구의 속옷을 다림질하거나 뚫어진 데를 깁기도 했다. 라라는 딸에게 글을 가르쳤다. 지바고는 라라와 카텐카의 다정함과 친밀함을 볼 때마다 자기 가족이 떠올랐다. 가족을 저버리고 있다는 생각에 괴로웠다.

이렇게 두세 달이 지났다. 10월로 접어든 어느 날, 지바고가 라라에게 말했다.

"아무래도 직장을 그만두어야겠소. 혁명과 정권을 찬양하는 구호에 구역질이 날 것 같소. 거기다 똑같은 구호가 너무 짜증스럽소. 나는 그런 방면에 소질이 없다오. 혹시 당신은 니콜라이 베데냐핀이라는 이름을 들어 본 적이 있소?"

"예. 당신을 알기 전부터요. 시마 툰체바가 그 분 이야기를 많이 했지요. 하지만 나는 그 사람의 책을 읽어 본 적은 없어요. 철학에 관한 책을 별로 좋아하지 않거든요."

"그 사람은 우리 삼촌이라오. 나는 삼촌의 영향을 많이 받았는지도 모르겠소. 사람들은 나보고 진단을 잘한다고 감탄을 해요. 내가 무슨 병인지를 단번에 알아 내는 힘은 직관이라오. 그래서 강의 시간에 이 문제를 거론한 적이 있어요. 그러자 사람들은 대번에 '신비주의다. 관념적이다.'라고 비난하더군요. 하긴 유물론자인 그들이 나의 이런 말을 좋아할 리가 없지요. 그것 때문에 나는 조만간 체포될 것 같은 느낌이 든다오."

"그렇게 되려면 아직 멀었어요. 그러나 조심하는 게 좋아요. 정치범이었던 두 사람이 이 곳 혁명재판소 위원으로 왔어요. 티베르진과 안티포프라는 노동자에요. 두 사람은 나와 잘 아는 사이예요. 안티포프는 나의 시아버지죠. 그 두 사람이 온 뒤, 우리 모녀의 생명에 위협이 생겼어요. 그들은 무슨 짓을 할지 모르는 사람들이에요. 시아버지는 이념 때문에 자기 아들 파샤까지 죽일 수 있는 사람이지요."

어느 날 밤, 정부에서 무기를 숨기고 있던 사람들을 적발했다. 가택 수색과 체포가 계속되었다. 많은 주민이 검거되었다.

라라가 말했다.

"우리 둘 다 검거될 거 같아요. 그러면 카텐카는 어떻게 하죠? 어떻게든 계획을 세워 놓아야 하는데……. 어디든 숨어 있을 수 있는 곳으로 떠나야 할 것 같아요. 바르이키노가 어떨까요? 외딴 곳이니 다른 사람들 눈에 잘 띄지 않을 거예요. 시내와의 연락은 삼데뱌토프가 맡아 줄 거예요. 부탁하면 거절하지는 않을 거예요."

"글쎄, 어떻게 말해야 좋을지 모르겠군. 모스크바로 가는 게 어떨까? 이젠 어느 정도 기차 여행도 가능할 것 같소. 단속도 예전 같지 않다

더군."
"모스크바라고요? 나는 여기 있어야 해요. 파샤의 운명이 결정되는 곳은 이 곳이니까요. 나는 그이를 기다려야 해요."
"그럼 카텐카는 어떻게 하오?"
"만약 우리가 체포되면 시마에게 맡기면 돼요. 그 여자라면 카텐카를 잘 돌봐 줄 거예요."

시마가 라라를 찾아왔다. 두 사람의 대화를 듣고 있으려니, 시마가 라라에게 무슨 강의라도 하는 것 같았다. 시마는 니콜라이 삼촌의 책을 많이 읽었는지 니콜라이와 비슷한 이야기를 했다.

어느 날, 소파에 앉아 있는데 정원으로 두 마리의 까치가 날아왔다. 지바고가 '까치가 오면 눈이 온다던데.' 라고 생각하고 있을 때, 시마가 말했다.

"까치는 소식을 전한대요. 댁에 손님이 오거나 편지가 올 것 같군요."
얼마 후 초인종이 울렸다. 시마의 언니 글라피라였다.
"라라, 당신 남자친구에게 편지를 전하러 왔어요. 내가 우체국에 근무하는 덕분에 이 편지가 내 손에 오게 되었지요. 모스크바에서 보낸 편지군요. 수취인을 찾을 수가 없어 다섯 달이나 걸렸어요."
그녀가 건네준 편지는 토냐가 보낸 것이었다.

유리, 딸이 생겼다는 것을 아시나요? 돌아가신 당신의 어머니, 마리아 니콜라예브나를 기억하는 뜻으로 마샤로 이름 지었어요. 이번에 우리 가족은 국외 추방 명령을 받았어요. 이번에 추방당한 사람들은 우리 가족과 몇 명의 유명한 사회 활동가, 우익 사회주의자 대학 교수가 있어요. 당신의 삼촌 니콜라이도 포함되어 있어요. 당

신도 여기 있었다면, 함께 떠날 수 있었을 텐데……. 이 편지는 라라의 주소로 보내요. 혹시 당신을 찾으면 전해 줄 거라고 생각해요. 우리는 언젠가 꼭 다시 만나서 함께 살 수 있을 거예요. 확실한 것은 아니지만 파리로 가게 될 것 같아요. 그 곳은 아버지와 숙부님이 공부하신 곳이에요. 사샤는 많이 컸어요. 당신 이야기를 하면 언제나 운답니다. 당신을 원망하지는 않아요. 당신이 좋으시다면 당신이 원하는 대로 사세요. 잠시 동안 라라와 사귀었어요. 나에게 많은 도움을 주었죠. 고맙다는 말을 전해 주세요. 아주 좋은 여자였어요. 나와는 다른 여자더군요. 유리, 우린 앞으로 어떻게 될까요? 우린 두 번 다시 만나지 못하게 될까요? 사랑해요. 유리!

창 밖에선 눈이 내리고 있었다. 지바고는 말할 수 없는 비탄에 젖었다. 지바고는 갑자기 신음 소리를 내며 가슴을 움켜쥐었다. 그리고 두세 걸음 비틀거리며 소파 쪽으로 가다가 정신을 잃고 쓰러졌다.

다시 바르이키노로

지바고는 병원에서 집으로 돌아왔다. 라라가 낮은 목소리로 말했다.
"코마로프스키가 왔어요."
"누굴 찾아왔지? 지금, 여기 있단 말이오?"
"아뇨. 아침에 왔다 갔어요. 저녁때 다시 와서 당신을 만나겠대요."
"무슨 일로?"
"극동으로 가는 길에 일부러 여길 들렀대요. 당신과 파샤의 일로요. 당신과 나, 파샤는 지금 생명이 위험하대요. 그렇지만 자기 말대로 하면 살 수 있다고 해요."

"난 그 사람을 만나고 싶지 않소."
라라는 울음을 터뜨렸다.
"당신이 그 사람을 싫어하는 것은 당연해요. 그렇지만 세상 물정에 밝은 사람이니 좋은 수가 있을지도 모르잖아요."
밤이 되었을 때 코마로프스키가 찾아왔다.
"나는 당신 아버지와 가까운 사이였어요. 내 품에 안겨 숨을 거두었지요. 아무리 보아도 당신은 아버지를 닮은 데가 없는 것 같군요."
"나에게 할 말이 있다고 해서 일단 만나기는 했지만, 나는 당신과 이야기하고 싶지 않습니다. 그러니 용건만 말씀해 주세요."
"두 사람은 아주 잘 어울리는군요. 다정한 사이 같아 보이는데……."
"그런 말은 하지 마시오. 당신과 상관 없는 일이잖소?"
"그렇게 대번에 흥분하시다니……. 그러고 보니 그런 점이 아버지를 닮았군요. 당신 아버지는 아주 급한 성미를 가진 분이셨지요. 지금 당신들 두 사람은 낭떠러지 끝에 와 있어요. 안티포프와 티베르진이 당신들을 덮치려고 벼르고 있소. 당신은 남자니까 자기 목숨이 어떻게 되든, 그건 당신의 몫입니다. 그러나 라라는 다르지요. 딸이 있어요. 한 아이의 생명이 라라의 손에 달려 있지요. 위에서는 대대적인 개혁을 하려고 해요. 당신을 제거하는 것은 이미 결정되었다오. 명부에 올라온 당신의 이름을 보았소. 늦기 전에 길을 찾아야 하오. 지금 태평양 연안 연해주에는 임시 정부와 해산된 제헌회의에 충성을 다하는 정치 세력이 집결해 있어요. 소비에트 정권은 이 극동 공화국의 탄생을 묵인하고 있지요. 나는 극동 전화국 정부의 법무장관 자리로 그곳에 가게 됩니다. 그래서 당신과 라라를 데리고 갈 수 있어요. 거기에 가면, 당신들은 어디로든 도망칠 수 있습니다. 라라한테는 파샤를 구출해 주겠다고 약속했습니다. 나는 합법적인 독립정부의 일원으로 파샤를 찾아내 우리 공화국으로 넘어오게 할 것입니다."
며칠이 지났다.
"라라, 무엇 때문에 며칠씩 잠도 못 자고 식사도 하지 않소? 정신 나간 사람처럼 방 안을 왔다갔다하고 말이오. 걱정한다고 해결되는 일이 아니잖소?"
"당신이 다니는 병원의 경비원이 다녀갔어요. 당신과 내가 곧 잡혀갈 거라고 해요."
"바르이키노로 갑시다. 얼마 동안 거기 숨어 있는 것이 좋겠소."
"고마워요, 유리. 당신 집으로 가는 것이 당신에게 큰 고통이라는 것을 알아요. 거긴 당신 가족들의 자취가 남아 있는 곳이니, 가족들이 그리워지겠죠. 그래서 난 당신 집이 아니라 미쿨리친 씨가 살던 집으로 갔으면 해요."
"그러나저러나 식량도 없는데 아무것도 없는 바르이키노로 가다니, 거의 미친 짓이군요. 하지만 우리가 선택할 수 있는 길은 그것밖에 없어요. 삼데뱌토프한테 부탁해서 말을 빌려 봅시다. 밀가루와 감자도 좀 꾸지요. 갚을 길은 없지만 말입니다."
"유리, 정말 고마워요. 당신은 나를 지켜 주는 피난처와 같은 사람이에요. 다만, 한 가지 마음에 걸리는 일이 있어요. 그건 바르이키노에 가서 말씀 드리겠어요."
지바고는 혹시 라라가 임신한 것이 아닐까 생각했다. 그러나 잠시 후 아닐 거라고 생각했다.
우중충한 겨울 아침, 지바고와 라라는 유리아틴을 떠났다. 사람들은 거리를 분주히 오가고 있었다. 지바고는 바르이키노로 가는 길에 자기가 빨치산한테 잡혔던 장소를 가르쳐 주려고 했다. 하지만 숲은 벌거숭이가 되어 버려 어디가 어딘지 분간할 수가 없었다.

바르이키노에 도착했을 때는 아직도 해가 남아 있었다. 지바고는 무엇에 홀린 사람처럼 집 안으로 달려들어갔다. 눈에 익은 가구가 있었다. 이 집에 있을 생각을 하니, 가족들이 생각나서 견딜 수가 없었다.

"라라, 역시 미쿨리친 집으로 가는 게 좋겠어."

미쿨리친의 집은 자물쇠로 채워져 있었다. 지바고는 간신히 자물쇠를 떼어 냈다. 집 안은 말끔히 정리되어 있었다. 누군가 여기에 최근까지 살았음이 분명했다.

'이리저리 숨어 다니는 백위군 장교였을 거야. 돌아오면 함께 살아야겠군.'

지바고는 미쿨리친의 서재를 바라보았다. 이런 환경에서라면 좋은 글을 쓸 수 있을 것 같았다.

그날 밤, 지바고는 온종일 놀다 지친 아이처럼 옷을 입은 채로 깊이 잠들었다.

지바고는 잠에서 깨어나자마자 책상을 쳐다보았다. 뭔가 쓰고 싶은 욕망이 생겼다. 그래서 아무거나 생각나는 대로 써 보았다.

"뭐 하세요? 바쁘신가요?"

"아니, 별것 아니오."

"빨래통도 필요하고 이것저것 필요한 게 많군요."

지바고와 라라는 바쁘게 움직였다. 이 방에서 저 방으로 분주히 드나들며 물건들을 찾았다. 카텐카는 심심해서 방 안을 서성거렸고, 길을 막으며 청소를 방해했다.

'요즘 아이들은 너무 가여워. 어른들의 떠돌이 생활에 희생되고 있으니 말야.'

지바고는 리베리우스 방에서 그가 어렸을 때 갖고 놀던 장난감을 한 아름 가져다 마루에 쏟아 놓았다. 그 모습을 보고 카텐카가 어른스럽게 말했다.

"이건 어린 아이의 장난감이잖아요? 나는 꼬마가 아니란 말예요."

하지만 마음이 변했는지 주저앉아 장난감을 만지작거렸고, 얼마 후에는 아주 멋진 인형 집을 만들었다.

오랜만에 맛본 풍성한 식탁이었다. 카텐카는 잠이 들었다. 라라가 말했다.

"우리가 어떤 결실을 맺을 수 있다는 확신만 있다면, 난 어떤 일을 해도 행복할 거예요. 내가 우울해지지 않게 계속 용기를 주세요."

"이리로 오자고 한 건 당신이었소, 라라."

"결국 나쁜 건 나군요. 당신은 전에 살던 집에 들어가서 아들의 침대를 보고 괴로워했지요. 하지만 나는 카텐카를 염려하거나 장래에 대해서도 걱정해서는 안 되고, 당신에 대한 사랑을 위해 모든 것을 희생해야겠지요?"

"라라, 그게 무슨 소리요? 지금이라도 늦지 않았어. 코마로프스키의 제의를 받아들일 테면 그렇게 하시오."

"당신은 내가 한두 마디만 하면 못마땅하게 말씀하시는군요. 정말로 같이 살 생각이라면 코마로프스키 같은 구체적인 계획이 있어야 해요. 나도 그 사람이 죽도록 싫지만 어쩌겠어요? 여기도 결코 안전하지는 않으니까요."

"그럼, 어떻게 하면 좋겠소? 나더러 대체 어떻게 하라는 거요?"

"잘 모르겠어요. 하여튼 나는 당신의 것이며, 당신을 무조건 사랑하고 복종하는 사랑의 노예라는 것을 알아 주세요."

"최선을 다하겠소. 당신은 내가 얼마나 일하고 싶어하는지를 모를 거야. 언젠가는 사회가 자리잡혀 갈 거요. 그러면 책도 출판할 수 있을 거요. 삼데뱌토프를 설득해서 그에게 유리한 조건으로 반 년 가량 우릴 먹여 달라고 부탁해 봅시다. 그 동안 나는 뭐든지 써서 그에게 주지요. 의학 입문서나 시 같은 걸 말이오. 혹은 외국 책을 번역하든지……."

"그렇게 말해 줘서 고마워요. 그런데 어쩐지 이 곳에서는 오래 살게 될 것 같지가 않아요."

지바고는 불면증에 시달리고 있었다. 술 취한 사람처럼 몽롱했다. 그가 시를 쓸 때는 거의 의식이 없었다. 안개처럼 몽롱한 의식 가운데 시를 썼다.

밤이 되자 지바고는 책상에 앉았다. 라라와 카텐카는 일찍 잠이 들었다. 지바고는 언제나 자신이 쓴 원고를 보며 절망에 빠졌다. 어젯밤에 쓸 때는 자기 스스로도 감동하는 시였는데, 다음 날 다시 읽어보면 한심할 정도로 엉성하였다. 그래도 시를 다듬고 또 다듬었다.

지바고는 글쓰기에 열중해 라라가 침대에서 일어나 책상으로 다가오는 것도 몰랐다.

"늑대가 울고 있어요. 한 마리도 아니고 여러 마리예요. 불길해요. 날이 새면 우리 여기를 떠나요. 무서워서 견딜 수가 없어요."

바르이키노에 와서 13일째 되는 날이었다. 간밤에 늑대들이 또다시 나타나서 라라는 무서웠다. 라라는 같은 말을 했다.

"내일은 꼭 유리아틴으로 돌아가요."

라라는 아침마다 일어나면 유리아틴으로 가겠다고 짐을 꾸렸다.

지바고는 계속 잠이 부족해 몸과 마음이 모두 피곤했다. 머릿속이 혼란해서 집중할 수가 없었다. 라라가 하는 말에 어떤 대답도 할 수가 없었다. 유리아틴으로 돌아가서 무얼 어떻게 할 것인지는 라라 역시 막막했다.

어느 날 아침, 라라는 짐을 꾸리고 떠날 결심을 했다. 지바고는 그녀의 결심을 막을 수가 없었다. 그러나 유리아틴은 지금 검거가 한창이었다. 다시 돌아간다는 것은 목숨을 거는 위험한 일이었다. 그렇다고 아무것도 없는 이 허허벌판에서 무기도, 식량도 없이 지낸다는 것 역시 현명한 일이 아니었다. 지바고는 자포자기한 심정으로 밖으로 나갔다. 썰매를 말에 묶으려고 헛간으로 갔다.

아침에는 잔뜩 찡그렸던 하늘이 맑게 개어 있었다. 날씨가 갑자기 추워졌다. 지바고는 너무 지쳐 서 있는 것조차 힘이 들었다. 그는 자신의 불행한 운명을 저주하면서, 슬픔에 잠긴 라라의 인생을 하느님께서 지켜 주시기를 기도했다.

그 때 갑자기 말 우는 소리가 났다.

'무슨 일일까?'

그는 집으로 돌아갔다. 현관 앞에는 윤이 나는 검정말이 있었고, 뚱뚱한 낯선 남자가 서성거리고 있었다. 집 안에서 인기척이 들렸다. 라라와 카텐카의 목소리, 그리고 코마로프스키의 목소리가 들렸다.

코마로프스키는 라라를 설득하고 있었다. 지바고는 믿을 수 없는 사람이며, 지바고가 자기 가족과 라라 둘 중에 어느 쪽을 소중하게 생각하겠느냐고 묻기도 했다.

그 때 지바고가 집 안으로 들어섰다.

"안녕하세요, 코마로프스키 선생!"

"유리, 당신은 코마로프스키 씨를 보고도 놀라지 않는군요. 이 분이 가신 후에 우리는 이 분의 제의를 거절했던 것을 후회했잖아요. 지금 떠나지 않으면 기회가 없어요. 내일 아침이면……."

"코마로프스키 씨, 나는 당신과 떠날 생각을 해 본 적이 없어요. 하지만 라라는 다릅니다. 특히 카텐카를 위해서도 당신의 제안을 받아들여야 할 겁니다."

"그건, 당신과 함께 떠나는 것을 전제로 합니다. 지금 유리아틴에서는 극동 공화국 정부의 특별 열차가 출발 준비를 하고 있어요. 내일 아침에 떠납니다. 나는 이 열차로 떠날 예정입니다. 나는 보좌관을 위한 좌석 몇 개를 구할 수 있어요. 두 번 다시 없는 기회죠. 당신이 나와 함께 가고 싶어하지 않는다는 것은 잘 알지만, 라라를 위해 다시 생각해 주세요. 라라는 당신이 가지 않는 한 움직이지 않을 겁니다. 잠시도 꾸물거릴 시간이 없어요."

"라라와 함께 떠나십시오. 저는 여기에 남겠습니다."

"정말 고집불통이군요. 라라가 없는 자리에서 당신과 둘만 이야기하고 싶은데……."

"좋습니다. 괜찮겠지? 라라."

두 사람은 부엌으로 자리를 옮겼다.

"스트렐리니코프가 체포되어 사형 선고를 받았어요. 아마 형이 집행되었을 거요."

"정말이오? 라라에게는 말하지 마십시오. 그 이야기를 들으면 미쳐 버릴 겁니다."

"물론이지요. 그래서 당신한테 따로 말하는 겁니다. 라라의 남편이 총살을 당했으니 라라와 딸의 신변도 위험합니다. 구해 주어야 합니다. 도와주십시오. 당신이 떠나지 않으면 라라도 떠나려 하지 않을 겁니다. 어떻게 해야 좋을지 모르겠군요. 이건 어떨까요? 당신이 라라와 함께 이 곳을 떠난다는 것을 라라가 믿게 해 주세요. 지금 당장, 우리와 떠나지 않더라도 뒤따라 온다고 라라와 약속해 주십시오. 하여튼 당신이 떠난다는 것을 라라가 믿을 수 있도록 이야기만 해 주십시오."

"좋습니다. 당신이 하라는 대로 하지요. 먼저 떠나면 곧 뒤쫓아가겠다고 말하겠습니다. 그리고 나는 여기 혼자 남겠습니다."

지바고의 감쪽 같은 연기에 라라는 먼저 떠나기로 했다.

'어쩌자고 내가 그랬을까? 어쩌자고 그런 짓을 했을까. 라라를 그 자에게 양보하다니…….'

지바고는 썰매를 타고 아득히 사라지는 라라의 모습을 바라보았다.

'잘 가오. 영원히 떠나 버린 나의 사랑이여! 저 세상에서 다시 만날 때까지 안녕! 이제 당신을 영원히 보지 못하겠군…….'

어둠이 깃들기 시작했다. 그는 집 안으로 들어가 문을 잠갔다. 이 집에는 이제 그 혼자만 남았다. 라라가 남기고 간 흔적들을 보자, 지바고는 무릎을 꿇고 침대에 엎드려 어린애처럼 목놓아 울었다. 그리고는 코마로프스키가 두고 간 보드카를 벌컥벌컥 마셨다.

지바고는 차츰 정신을 잃어가고 있었다. 그는 술을 마시고 라라를 그리워하는 시를 썼다. 라라를 그리는 심정을 시로 쓰면서 자연, 일상 생활에 대한 시도 썼다. 지바고는 라라를 생각하며 멜류예제보의 여름을 그리워했다.

어느 날 삼데뱌토프가 지바고를 만나러 왔다. 그는 라라가 딸을 데리고 코마로프스키와 함께 유리아틴을 떠난 이야기를 해 주었다. 그리고는 며칠 안으로 지바고를, 다른 곳으로 데려다 주겠다는 약속을 하고 돌아갔다.

지바고는 글을 쓰다가도 라라를 그리워하는 마음에 몸부림쳤다.

어느 날, 지바고는 겨우 제정신으로 돌아왔다. 어차피 죽을 거라면 이

렇게 괴로워할 필요가 없다고 생각했다. 그리고 삼데뱌토프가 데리러 오면 즉시 떠나리라고 결심했다.

저녁 무렵, 누군가 걸어오는 소리가 들렸다. 가벼우면서도 당당한 걸음걸이가 집 쪽으로 다가오고 있었다.

'이상하군. 누구일까? 미쿨리친이 돌아왔나?'

아직 정체를 드러내지 않은 방문객은 서슴없이 안으로 들어왔다.

"누구를 찾습니까?"

지바고가 물었다.

그러나 남자는 대답을 하지 않았다. 지바고는 라라와 자기가 여기 오기 전에, 이 집에 살던 사람이라는 것을 직감적으로 깨달았다. 그리고 어딘가 낯이 익었다.

'이 사람이 누구더라? 도대체 어디서 보았을까? 아! 그래, 라라의 남

편 스트렐리니코프야.'

두 사람은 몇 시간 동안 이야기를 나누었다. 날이 저물어 가고 있었다. 스트렐리니코프는 두서 없이 자기 이야기를 했다.

"이 집 서랍에서 나온 물건들을 보고 놀랐지요. 내가 시베리아를 점령했을 때 징발해 온 것들이었어요. 저는 아내와 딸을 데리러 왔습니다. 그들이 여기에 있다는 소식을 최근에야 들었습니다. 당신과 라라가 가까운 사이라는 소문도 들었고요. 그리고 의사 지바고란 이름을 들었을 때 언젠가 나에게 조사를 받던 당신의 얼굴이 생각나 질투가 났지요. 지금도 마찬가지고요. 내가 이 근처에 잠복하기 시작한 것은, 불과 한두 달 전이었어요. 겨울에 굶주리며 사람들의 눈을 피해 걸어서 서쪽으로 갔습니다. 그러다 떠돌아다니는 소년을 만났지요. 그 애는 빨치산 부대에서 도망쳤다고 하더군요. 총살형을 당했는데 다행히 급소를 피해 살았답니다."

"그 애 이름이 혹시 갈루진이 아니오?"

"그렇소. 그 애는 어머니를 무척 사랑하더군요. 그 애 아버지는 인질로 잡혀 총살당했고, 어머니도 투옥되어 같은 운명에 이르렀지요. 그 애는 어머니를 구하기 위해서는 어떤 짓이라도 하겠다고 했어요. 그래서 군 비상 위원회에 가서 자수를 하고, 그들이 시키는 일은 무엇이든 하겠다고 했어요. 그리고는 그들에게 내가 있는 곳을 가르쳐 주었답니다. 그러나 나는 이미 다른 곳으로 피했답니다. 그놈의 배신을 짐작하고 있었던 거지요. 별별 고생을 다 하며 이 곳까지 왔습니다. 등잔 밑이 어둡다고 사람들은 내가 여기까지 오리라고는 생각지도 못했을 겁니다."

그러더니 갑자기 화제를 돌렸다.

"라라는 아름다운 여자였어요. 그 옛날 학생 시절, 라라의 모습이 얼마나 아름다웠는지……. 라라는 우리 이웃집 셋방에 살던 여학생과 친구였어요. 그 집에 세들어 사는 사람들은 거의 철도 노동자였지요. 지금 유리아틴 혁명재판소의 위원인 우리 아버지도 철도원 노동자였어요. 나는 라라를 자주 만났습니다. 라라의 표정은 수줍고 우아했어요. 나는 라라를 위해 대학을 갔고, 그녀를 위해 선생이 되어 낯선 유리아틴까지 왔습니다. 나는 라라를 위해 지식을 쌓았어요. 그래야 그녀에게 도움을 줄 수 있는 사람이 될 것 같았으니까요. 전쟁이 나자, 나는 그녀와의 문제로 전쟁터로 갔어요. 어떤 문제였는지는 말하지 않겠습니다. 그러다가 그만 포로가 되었지요. 어느 날, 내가 죽었다는 소문이 났다는 걸 알았어요. 그래서 가명으로 혁명 당원에 뛰어들었죠. 라라와 내 딸이 가까운 곳에 살고 있었는데도, 나는 달려가 만나

보고 싶은 마음을 참았어요. 가족보다는 내 필생의 과업을 이루고 싶었거든요. 하지만 지금은 가족을 만나고 싶소. 너무도 보고 싶소. 난 곧 체포될 것이오. 그리고 총살을 당하겠지요."

지바고는 깊은 잠에 빠졌다. 며칠 만에 자리에 눕자마자 잠을 잘 수 있었다. 스트렐리니코프는 옆방에서 잤다.

새벽녘에 지바고는 꿈을 꾸었다. 그 꿈은 자세하고 또렷했다. 꿈 속에서 어머니가 그린 수채화가 벽에서 떨어져 유리가 산산조각 났다. 바로 그 때 총소리가 들렸다.

지바고는 깜짝 놀라 잠을 깼다. 스트렐리니코프가 늑대를 쫓기 위해 총을 쏜 것이라고 생각하고는 다시 잠이 들었다.

다음 날, 지바고는 늦게서야 잠에서 깼다. 골치가 아팠다.

'참, 스트렐리니코프가 이 집에 있지. 시간이 너무 늦었어. 그는 벌써 일어나 있을 테지. 같이 커피를 끓여 마셔야겠다.'

지바고는 주섬주섬 옷을 입고 옆방으로 갔다. 스트렐리니코프의 털모자는 탁자 위에 있었지만 그의 모습은 보이지 않았다.

'산책하러 나갔나? 이 추위에 모자도 안 쓰고 나가다니…….'

지바고는 물통을 가지고 우물가로 갔다. 그런데 현관 앞에서 몇 걸음 떨어진 곳에 스트렐리니코프가 쓰러져 있었다. 권총으로 자살을 한 것이다. 피를 흘린 왼쪽 관자놀이 아래 피로 물든 붉은 눈덩어리가 굳어져 있었다.

종 막

이제 남은 지바고의 이야기는, 그가 죽기 팔구 년 전의 일이다. 이 기간 동안 지바고는 무척 약해졌다. 그리고 의사로서, 작가로서의 지식과 능력도 쇠퇴하고 있었다.

지바고의 지병인 심장병이 악화되고 있었다. 하지만 지바고는 자기의 병에 신경을 쓰지 않았다.

지바고가 모스크바에 도착했을 때의 모습은 빨치산에서 탈출하여 유리아틴에 왔을 때보다 더 엉망이고 초췌하였다.

지바고의 옆에는 곱상하게 생긴 시골 청년 한 명이 있었다. 그 청년은 지바고에게 맹목적으로 충성하는 충실한 제자 같았다.

지바고가 모스크바에 도착할 때까지 지나온 마을의 대부분은 적의 습격을 받은 것처럼 사람의 그림자가 하나도 없었다. 지바고는 인기척이 없는 어느 마을에 도착했다. 불탄 집들이 늘어서 있었다. 무사한 집도 몇 채 남아 있었다. 그러나 거기에도 사람은 살고 있지 않았다.

지바고는 잠시 쉬기 위해 강둑에 앉아 있었다. 그 때 한 청년이 나타났다. 맨발에 누더기를 걸치고 머리는 엉망이었다.

"아니, 이게 꿈이 아니겠죠? 의사 아저씨, 저를 혹시 기억하지 못하시나요?"

"글쎄요. 잘 기억이 나지 않는군요."

"모스크바에서 같이 기차를 탔잖아요. 저는 강제 노동으로 징집되었고요."

그 청년은 바로 바샤였다.

그는 지바고 앞에 엎드려 흐느껴 울기 시작했다. 불에 타 버린 마을은 바로 바샤의 고향인 베렌틘니키 마을이었다. 그의 어머니는 세상을 떠났다고 했다. 징벌대가 마을을 습격하고 불을 질렀을 때 바샤는 채석장의 굴 속에 숨어 있었는데, 어머니는 바샤가 끌려갔다고 생각하고는 미쳐 버렸다고 했다. 그리고는 이 강에 몸을 던졌다고 했다.

지바고는 바샤를 데리고 모스크바로 향했다. 오는 도중에 바샤는 여러 가지 소름이 끼치는 일들을 이야기해 주었다.

"탸구노바 아줌마를 기억하시죠? 우리와 함께 기차를 탔던……."

"응, 기억이 나네. 언젠가 시베리아 어느 도시에서 만났었지."

"정말이요? 아줌마는 어떻게 지내시나요?"

"내가 만났을 때는 건강했어. 너의 집 이야기를 하더군. 너의 집 신세를 많이 졌다고 하더라."

"그래요. 우리는 같이 살았어요. 우리 어머니는 아줌마를 친동생처럼 아끼고 좋아하셨어요. 아줌마는 얌전하고 무슨 일이나 잘했어요. 그런데 나쁜 소문이 나서 우리 동네를 떠났지요. 아주 못된 악담을 들었거든요. 우리 마을에 하를람이라는 농부가 살았어요. 그 사람이 아줌마를 좋아했지요. 그런데 아줌마는 그 남자를 본 체도 하지 않았어요. 그래서 그 남자는 원한을 품고 나와 아줌마에 대해 이상한 소문을 퍼뜨렸어요. 이것이 불행의 시작이었어요. 여기서 멀지 않은 곳에서 살인 사건이 났어요. 한 과부가 살해되었지요. 그 과부는 집안일과 힘든 농장일을 혼자 힘으로 꾸려 나갔어요. 그런데 지난 겨울에 추위가 일찍 닥쳐서 미처 감자를 캐지 못했어요. 그래서 자기 일을 도와주면 품삯을 주든지 감자를 준다고 하길래, 나는 감자를 캐 주겠다고 했어요. 내가 감자를 캐러 과부의 농장에 갔는데, 이미 하를람이 와 있었어요. 과부가 그에게도 부탁을 했던 거죠. 나는 그놈과 둘이서 같이 일했어요. 일을 마치고 과부는 나에게 하를람 몰래 나중에 찾아오라는 눈짓을 했어요. 나중에 찾아갔더니, 자기 감자를 정부에 빼앗기고 싶지 않으니 구덩이를 파서 숨겨 달라고 했어요. 땅이 너무 꽁꽁 얼어서 자기 힘으로는 못한다고요. 저는 구덩이를 파서 감자를 묻고

흙으로 덮었어요. 그리고는 이 일을 아무한테도 말하지 않았어요. 그런데 한 달 정도 지났을 때, 과부집에 강도가 들었어요. 얼마 후 눈이 녹고 비가 억수같이 쏟아졌어요. 그런데 어디선가 개가 나타나서 눈이 녹은 땅을 발로 파기 시작했어요. 내가 감자를 묻었던 바로 그 장소지요. 그런데 그 구덩이 안에서 과부가 나왔어요. 하를람이 그런 짓을 했으리라고는 아무도 생각하지 않았어요. 그리고 시간은 그렇게 흘러갔지요. 그러던 어느 날 시내에 적위군 병사들이 파견되었어요. 순회 재판이 열렸고, 저는 곧 체포되었어요. 내가 강제 노동을 도피하고 과부를 살해했다고 하를람이 밀고한 거죠. 나는 감금되었지만, 마루 판자를 뜯고 빠져 나왔어요. 그리고 채석장 동굴에 숨었답니다. 한 농부가 적위군 병사들을 불러 술을 대접했는데 모두 취했어요. 밤중에 불을 간수하지 못해 불이 났답니다. 그리고 이 마을 전체가 탔어요. 사람들은 도망을 쳤고, 술에 취한 적위병 군사들 역시 모두 타죽었어요. 마을 사람들이 일부러 불을 지른 것은 아니었지만, 사람들은 두려워서 모두 도망을 갔어요. 그래서 내가 굴에서 나왔을 때는 마을에 사람들이 하나도 없었어요."

지바고와 바샤는 신경제 계획 초기인 1922년에 모스크바에 도착했다. 지바고는 모스크바에 도착하자, 옛날에 살던 집을 찾아갔다. 지바고가 살던 집에는 다른 가족이 살고 있었고, 이웃 사람들도 모두 낯선 얼굴이었다. 지바고의 집에서 일하던 마르켈은 출세해서 주택 관리인이 되어 있었다.

어느 날, 지바고가 바샤에게 말했다.

"너도 뭘 좀 해야 할 텐데……."

"공부를 하고 싶어요. 그리고 어머니의 초상화를 그리고 싶어요."

지바고는 아는 사람의 도움을 받아 바샤를 미술학교에 입학시키고, 후에 인쇄 미술과로 전과시켰다. 바샤는 이 곳에서 석판 인쇄, 활판 인쇄, 제본과 장정 기술을 배웠다. 지바고가 소책자를 저술하면, 바샤는 그것을 실습 삼아 학교에서 인쇄했다. 부수는 적었지만, 지바고가 쓴 책을 팔 수가 있었다. 지바고가 쓴 책은 철학과 의학, 건강과 질병, 종교, 시와 단편 소설 등이었다. 지바고의 책은 대중적인 것과는 거리가 멀었지만, 독창적이고 생동감이 있어서 수집가들에게 잘 팔렸다.

그 당시는 여러 아카데미가 설립되어 지바고는 그 곳에서 의학에 관한 자문을 맡았다. 지바고와 바샤는 친구처럼 서로를 의지했다.

하지만 얼마 안 있어, 바샤와 지바고 사이가 벌어지기 시작했다. 바샤는 소비에트 정권의 교육을 받고 달라졌다. 바샤에게 지바고의 사상이 마음에 들지 않기 시작했다.

지바고의 사상은 비유가 많고 어딘지 애매했다. 그리고 현실을 도피하려는 패배주의 색채가 짙었다. 바샤는 차츰 지바고를 비난했고, 결국 그들의 사이는 금이 가고 말았다.

지바고는 그들이 살던 하숙방을 바샤에게 내주고 나왔다. 마르켈은 옛 정을 생각하고 지바고에게 방을 내주었다. 지바고는 마르켈 집으로 온 이후부터 의사 생활을 포기하고 친구들도 만나지 않은 채 가난한 생활을 했다.

어느 일요일, 마르켈의 식구들이 한자리에 모여 저녁 식사를 했다. 난로가 활활 타올라 몹시 후텁지근했는데, 지바고가 물통 두 개를 들고 방으로 들어왔다.

"어서 와요. 우리 같이 식사해요."

"고맙지만 식사를 했습니다. 자주 드나들어 찬바람이 들어오게 해서 죄송합니다. 일곱 번 정도만 왔다갔다하면 됩니다. 그 때까지만 참아 주세요. 귀찮게 해 드려 죄송합니다."

"괜찮아요. 물은 얼마든지 길어도 돼요."

그러나 세 번째로 물을 길어 갈 때 그들의 말투는 달라졌다.

"물은 얼마든지 길어도 돼요. 하지만 마룻바닥에 물을 흘리면 안 돼요. 그게 얼어붙으면 곤란하거든요. 그리고 바람이 들어오니까 문은 꼭 닫아요. 그런데 내 사위가 당신에 대해 묻더군요. 그렇게 공부를 많이 해서 의사가 되었는데, 왜 그 꼴로 사냐고요."

다섯 번째, 여섯 번째 들어오자 마르켈은 눈살을 찌푸렸다.

"이제, 한 번만 더 길어가고 그만두시오. 예의를 알아야지. 내 딸 마리나가 당신 편을 들어서 내가 참고 있다오. 이 애는 중앙전신국에서 일하는데 외국어도 잘하죠. 마리나는 늘 당신이 불쌍하대요."

식탁에 앉은 식구들이 웃음을 터뜨렸다. 그러나 마리나는 웃지 않고 화를 냈다. 이 일을 계기로 지바고와 마리나는 가까워졌다. 그녀는 자주 지바고에게 와서 일을 돌봐 주다가, 어느 날부터 자기 집으로 돌아가지 않고 지바고와 함께 살았다.

마리나는 지바고의 세 번째 아내가 되었다. 그들 사이에 아이가 태어났다. 마르켈 부부는 딸이 의사의 부인이 된 것이 흐뭇했다.

이 무렵부터 지바고는 이상한 기분에 사로잡혀 제멋대로 행동하기 시작했다. 그러나 마리나는 지바고의 괴팍함을 잘 참아 주었다. 지바고가 집 안을 어지럽히고 변덕을 부려도 남편을 이해할 만큼 마리나는 헌신적이었다. 생활이 곤란한데도 불구하고 지바고를 혼자 집에 둘 수 없다며 직장을 그만두었다. 전신국에서는 그녀의 능력을 알기 때문에 다시 복직하기를 기다렸다.

어느 날, 마리나와 지바고가 어떤 집에서 일을 할 때 주인은 정신 없이 책만 보고 있었다. 지바고는 그 남자가 읽는 책이 무엇인지 궁금해서 어깨 너머로 살짝 엿보았다. 다름 아닌 바샤가 학교에서 인쇄한 지바고의 소책자였다.

지바고와 마리나가 사는 곳 근처에는 지바고의 친구 미샤 고르돈이 방 하나를 세내어 살고 있었다. 지바고 부부에게는 카프카와 클라시카라는 두 딸이 있었다. 카프카는 일곱 살이었고, 클라시카는 6개월 정도 되었다.

1929년의 여름은 몹시 무더웠다. 한여름 날, 지바고와 친구 두도로프, 마리나가 아이들을 데리고 고르돈 집으로 놀러갔다. 잠시 후 마리나는 아이들을 데리고 밖으로 나왔고, 세 남자는 한가하게 앉아 대화를 했다. 오랜 세월이 지났지만 그들은, 학창 시절의 우정을 생각하며 잡담을 나누었다.

두도로프는 얼마 전에 해외 추방 생활을 끝내고 귀국했다. 대학에 복직되어 다시 강의도 시작했다. 또한 정치적으로 재교육되어 성숙한 사람이 되었다고 말했다. 두도로프의 이야기는 고르돈의 마음에 들었다. 하지만 지바고는 그의 적응성과 위선이 싫었다. 지바고는 친구들과 언쟁하지 않으려고 자기 생각을 말하지 않았다.

"난 가야겠어."

지바고가 말했다.

"미안해, 우리가 담배를 너무 피웠군. 자네와 같이 있을 때는 참아야 하는데."

"내 건강을 걱정해 주어서 고맙네. 동맥경화증이라는 병이야. 언제 어느 때 터져 버릴지 몰라. 나는 아직 마흔 살도 안 되었는데……. 인생을 즐기지도 못했는데……."

"그런 소리는 하지 말게. 자넨 오래 살걸세."

"마음에도 없는 소리를 지껄여야 하는 세상이니 건강이 나빠질 수밖에. 그래, 잘될 거야. 두고 보게. 나는 요즘 살려는 욕망이 강렬해. 난 요즘, 고르돈 자네가 토냐를 돌봐 주듯이 마리나를 아껴 줘서 고맙다네. 파리에서 편지가 오기 시작했네. 애들은 잘 크고 있대. 사샤는 초등학교를 졸업하고 마샤는 입학한다네. 나는 마샤의 얼굴을 한 번도 본 적이 없지. 아마 토냐와 장인은 마리나와 나의 일을 알고 있는 것 같아. 장인은 나를 나쁜 놈이라고 하겠지. 귀한 자기 딸을 버리고 딴 여자와 결혼했으니 말야."

다음 날 아침, 마리나가 고르돈을 찾아왔다.

"유리가 여기에 있나요?"

"어젯밤에 집에 가지 않았어요?"

"예, 오지 않았어요."

"두도로프한테 갔겠지요."

"거기도 갔었는데 유리는 없었어요."

마리나는 슬프게 흐느껴 울었다.

이틀 동안 마리나와 두 친구들이 지바고를 찾았지만, 어디에서도 찾을 수가 없었다. 지바고는 당시 모범적인 시민이 아니었기 때문에 경찰에 실종 신고는 하지 않았다. 그에게 당국의 관심을 쏠리게 하는 것은 현명한 일이 아니었다.

사흘이 지났을 때, 세 사람은 편지를 받았다. 지바고는 편지에다 소동을 일으켜 미안하다며 자기를 걱정하지 말라고 했다. 또 아무리 찾아도 소용 없을 거라고 했다. 자기 인생을 뜯어고치기 위해 노력하면서 얼마 동안 혼자 있을 거라고 했다. 다시 직장을 잡을 자신이 생기면 가족에게 돌아가겠다고 했다.

고르돈한테 보낸 편지에는, 그의 명의로 돈을 보낼 테니 마리나에게 전해 주라고 했다. 그녀가 다시 직장을 다닐 수 있도록 보모를 구해 주라고 하며, 마리나한테 직접 송금하지 않은 것은, 마리나가 돈을 도둑맞을까 괜한 걱정을 하지 않도록 하기 위해서라고 했다.

지바고는 사실, 그들과 가까운 곳에 살고 있었다. 그가 사라지던 날, 고르돈의 집을 빠져 나와 집으로 돌아가다가 이복동생 예브그라프를 만났다. 지바고는 3년 정도 동생을 만나지 못했고 소식조차 몰랐다. 예브그라프는 얼마 전에 모스크바에 왔다고 했다. 동생은 거리에서 몇 마디 묻고는 지바고가 겪었을 고난을 눈치챘다.

예브그라프는 형을 도와주어야겠다고 생각하고 얼마 동안 행방을 감추고 숨어 있자며 방을 하나 구해 주었다. 돈도 대 주었고, 연구를 계속할 수 있도록 병원도 알아봐 주었다. 또한 지바고의 가족들이 파리에서의 불안한 생활을 그만두고, 다시 모스크바로 오게 하겠다고 단단히 약속했다.

지바고는 동생의 도움으로 각오를 새롭게 했다. 동생이 갖고 있는 권력이 궁금했지만, 지바고는 그것에 대해 더 이상 알려고 하지 않았다.

지바고가 새로 얻은 방은 일하기에 안성맞춤이었다. 매우 넓고 쾌적했다. 지바고는 이 곳에서 일에 열중했다. 글을 쓰기 시작했고, 예전에 썼던 시 중에서 일부분이라도 기억할 수 있는 것과 동생이 구해 준 자기 작품들을 분류하기 시작했다. 그러나 자료가 뒤죽박죽이어서 그 작업은 포기하고 새 작품만 쓰기 시작했다.

8월의 어느 날 아침, 지바고는 전차를 탔다. 그 날은 보트킨 병원에 첫출근하는 날이었다. 그러나 지바고는 그 날 운이 나빴다. 그가 탄 전차가 너무 낡아서 계속 고장을 일으켰다. 이 전차 때문에 그 노선의 모든 전차도 가다 서다를 반복했다.

지바고는 창문에 몸을 기대고, 음악 학교가 있는 거리를 내다보며 지나가는 사람들을 지켜보았다. 천으로 만든 꽃으로 장식한 밝은색 밀짚모자를 쓰고, 연보랏빛 드레스를 입은 백발의 노부인이 숨을 헐떡이며 걸어가고 있었다. 그 부인은 전차와 같은 방향으로 걷고 있었다.

고장난 전차가 고쳐져 움직일 때마다 여러 번 그 부인을 시야에서 놓쳤지만, 또 고장이 나서 멈추면 그녀를 다시 보게 되었다. 어디선가 본 듯한 얼굴이지만 떠오르지 않았다. 다시 전차가 움직이기 시작하다가 또다시 멈춰 섰다.

지바고는 갑자기 구토증이 나면서 가슴이 답답했다. 창문을 열려고 했지만 소용이 없었고, 힘이 쫘악 빠지면서 걸을 수도 없었다. 하지만 다리에 힘을 주고는, 승객 속을 헤치고 승강구 쪽으로 나왔다.

그런데 갑자기, 한번도 경험하지 못했던 통증을 느꼈다. 몸 속에서 무슨 일이 벌어지는 것 같았다. 지바고는 최후의 시간이 다가오고 있음을 깨달았다. 밖으로 나와 상쾌한 공기를 쐬자 어느 정도 살 것 같았다.

'아직 죽을 때는 아닌가 보군. 상태가 좋아졌어.'

그러나 전차에서 내려 포장된 길을 한 발짝, 두 발짝, 세 발짝 걷다가 갑자기 푹 쓰러져 버렸다. 그리고는 두 번 다시 일어나지 못했다. 주위는 아수라장이 되었다.

사람들이 전차에서 내려와 그를 에워쌌다. 그는 이미 호흡이 멎고 심장도 뛰지 않았다. 둘러싼 사람 중에는 연보랏빛 옷을 입은 노파도 있었다. 그녀는 잠시 걸음을 멈춰 시체를 보고는 다시 걷기 시작했다.

그 시절에는 시체를 화장하는 풍습이 있었다. 아이들 교육 문제와 마

리나의 직장을 감안하여, 종교 의식대로 하지 않고 화장을 하기로 했다. 이 결정을 관계 당국에 통지하고 사람이 오기를 기다렸다. 문상객은 그다지 많지 않았지만 생각보다는 많았다. 지바고의 책을 읽은 사람들이 그의 소식을 듣고는 추모하기 위해서 몰려온 것이다.

마리나는 실성한 사람처럼 오랫동안 마룻바닥에 엎드려, 의자 끝에 얼굴을 대고 목메어 울었다. 비탄에 잠긴 두도로프와 고르돈이 마리나 옆에 있었다.

그런데 모인 사람들 중에 특히 눈에 띄는 남자와 여자가 있었다. 두 사람은 지바고에 대해 특별한 권리를 갖고 있었다. 이 두 사람이 나타나자 사람들은 자리를 비켜 주었다. 두 사람은 사무적으로 이야기를 시작했다.

"무얼 좀 알아보셨나요? 예브그라프."

여자가 먼저 물었다.

"화장은 오늘 밤에 할 겁니다. 형은 서류 하나 제대로 된 것이 없었어요. 그래서 장례 절차를 밟는 데 시간이 많이 걸렸습니다. 화장을 마친 다음, 저를 만나 보고 가세요. 부탁이 있습니다. 가까운 시일 내에 형님이 남긴 원고를 정리했으면 합니다. 당신이 좀 도와주십시오. 당신은 누구보다 형님에 대해 잘 알고 계시잖아요. 당신은 형님이 모스크바에 계신 줄 모르고 있었다고요?"

"당신은 저에게 이해할 수 없는 점이 있다고 했는데, 어느 부분이 그런가요? 모스크바에 도착해서 시내를 둘러보았는데 너무 많이 변해서 알아볼 수가 없더군요. 그러다가 눈에 띄는 건물이 하나 있었어요. 총살된 내 남편 파샤가 대학 시절에 살던 방이었지요. 그 곳이 바로 이 방이랍니다. 그래서 잠깐 들르려고 이것저것 물었어요. 그러다 지바고의 죽음을 알게 되었답니다. 난 정말 기절할 것 같았어요."

“나와 형님은 예전에 파샤가 이 방에 살았다는 것은 상상도 하지 못했어요. 그런데 당신이 말한 것 가운데 뜻밖의 사실이 있군요. 파샤에 관한 겁니다. 스트렐리니코프의 군사 혁명은 나도 잘 압니다. 그 사람을 한두 번 만난 적도 있지요. 그런데 가족 관계는 몰랐어요. 당신이 그 사람의 부인이었군요. 그런데 파샤가 총살당했다고 하셨습니까? 아니오, 그는 자살했어요.”

“그 사람은 절대로 자살할 사람이 아니에요. 믿을 수 없어요.”

“형은 파샤가 당신과 형이 살던 집에 와서 자살했다고 했어요. 당신이 딸을 데리고 떠난 후, 얼마 되지 않아 그 집으로 찾아왔대요.”

“그럼, 파샤와 지바고가 만났단 말인가요? 이럴 수가 너무 떨려 말을 할 수가 없군요. 이 이야기는 나중에 이야기해 주세요. 당신의 부탁은 들어 드리겠어요. 유리의 원고를 정리하는 일 말이에요. 저도 당신에게 부탁드릴 게 있어요. 당신은 법률가라고 들었어요. 어린아이에 대한 문제예요. 나는 평생 사람만 찾는 팔자인가 봐요. 딸아이를 찾으려고 하는데, 전국의 고아원 기록이 있을까요? 제 딸아이 하나를 잃어버렸답니다.”

“힘 닿는 데까지 도와 드리겠습니다.”

사람들이 들어왔고, 라라는 깊은 생각에 잠겼다.

‘이젠, 아무도 없군. 지바고는 죽었고 파샤는 자살했어. 그리고 죽여도 시원치 않을 사람만이 살아 있군. 비열한 인간만이. 크리스마스 날, 내가 그를 죽이려고 했던 날에 나는 소년이었던 파샤와 이야기를 했지. 바로 이 방에서 말이야.’

라라는 기억을 되새기며 크리스마스 날, 파샤와 나눈 이야기를 떠올리려고 애썼지만, 기억나는 것은 창문에 얼어붙은 성에를 둥글게 녹이며 타오르던 창가의 촛불뿐이었다.

지금은 고인이 되어 관 속에 누워 있는 지바고가, 그 때 그 길을 지나다가 그 구멍난 유리 창문을 보며 촛불에 마음이 끌렸던 것을 라라는 상상이나 할 수 있을까?

'테이블 위에 촛불이 타오르고 있었다.' 라고 지바고는 떠올렸었다. 이 때부터 지바고와 라라의 숙명은 시작된 것일까…….

라라는 평상시 지바고에게 하던 말투로 이별의 말을 시작했다.

"유리, 이렇게 다시 만났군요. 신은 우리를 다시 만나게 해 주었는데 무서운 방법으로 그 만남을 허락하셨군요. 아무리 울어도 당신은 다시 돌아오지 못할 먼곳으로 가셨군요. 잘 가세요. 나의 위대하고 그리운 사람, 잘 가세요. 나의 사랑! 기억나나요? 당신과 헤어지던 때의 일을요? 왜 당신은 나를 혼자 가게 했나요? 나를 위해서였겠지요. 나는 당신과 헤어지고 석 달이나 앓아 누웠답니다. 나는 떠나 오면서 당신에게 가장 중요한 것을 말하지 않았어요. 미안해요, 유리. 도저히 고백할 수가 없었어요."

라라는 무슨 말을 더 하려다가 괴로움에 눈물을 흘렸다.

라라는 모스크바에서 며칠을 보냈다. 예브그라프의 부탁으로 원고 정리를 도왔지만 끝까지 하지는 못했다.

어느 날, 밖으로 나간 라라는 다시 돌아오지 못했다. 아마, 그 날 거리에서 체포된 것 같지만, 라라의 생사는 알 수 없었다. 아마도 어느 수용소로 끌려갔을 것이다. 그러다 이름 없는 한 수감 번호로 자취도 없이 사라져 버릴 것이다.

에필로그

1944년 여름, 최근에 소위로 임관된 고르돈과 두도로프 소령은 각자 자기 부대로 돌아가는 길에 만났다. 고르돈은 모스크바에서 파견 근무를 마치고 돌아가는 중이었고, 두도로프는 모스크바에서 사흘 동안의 휴가를 마치고 귀대하는 중이었다.

이 두 사람은 체르니라는 작은 마을에서 하룻밤을 지냈다. 그들은 한밤중에 강변으로 나가 이야기를 했다.

"여기가 무슨 강인가?"

"쥬샤 강이야. 크리스티나의 일이 일어난 곳이지."

"교회에서는 크리스티나를 성인으로 추앙했다더군."

"독일이랑 싸울 때 크리스티나는 러시아를 위해 독일군의 요새를 폭파했지. 그러나 붙잡혀 처형을 당했어."

"두도로프, 크리스티나는 자네의 약혼자였지?"

"응. 우리는 전쟁이 끝나면 결혼을 하기로 약속했었지. 그러나 계속되는 부대의 이동 때문에 그녀와 연락이 끊어졌어. 그녀가 죽었다는 것은 신문을 보고 알았네. 내가 듣기로는 유리의 동생 예브그라프 지바고 장군이 크리스티나의 기념비를 세울 계획이래. 그녀의 자료를 수집하기 위해 이 일대를 돌아다니고 있다네."

"미안하네. 자네 약혼자 이야기를 꺼내 마음을 괴롭게 해서."

"내가 크리스티나를 어떻게 만났는지 아나? 내가 대학에서 강의를 하고 있을 때였지. 그녀는 나의 제자였는데, 어리고 예쁜 소녀였지. 그 무렵에는 학생들이 교수들을 혹평하는 게 유행이었어. 크리스티나는 나를 열렬히 비난했지. 그런데 그 증오는 바로 나에 대한 풋사랑을 숨기려는 것이었다네. 1941년 여름, 전쟁 선전포고 직후 모스크바 근교 숙소에서 대학생 여럿이 머물렀는데 거기에 그녀도 있었어. 그 때 우리 부대도 거기에 주둔해 있었지. 대학생들은 군사 훈련을 받고 의용군이 되었어. 그리고 독일군의 공습을 최초로 격퇴하는 상황에서 우리의 사랑은 깊어 갔어. 그러나 우리 부대가 이동하면서 서로 헤어지게 되었고 그 후로 다시는 만날 수가 없었어."

"세탁부에서 일하는 타냐는 크리스티나를 잘 알고 있어. 전선에 있었을 때 친해졌다고 하더군. 타냐는 크리스티나에 대해 여러 가지 이야기를 해 주었네. 타냐가 웃을 때는 우리 친구 지바고와 꼭 같더군. 자네는 그렇게 생각하지 않나? 러시아 어디에서도 그만한 미인은 없을 거야."

"그런가? 난 잘 모르겠어. 자세히 본 적이 없어서 말야."

"왜 타냐의 성은 베조체레데바(주워 온 자식)일까? 그런 흉한 성이 어디 있어. 왜 그런 이름을 붙였을까?"

"그녀가 말했잖아. 자기는 부모를 알 수 없는 고아라고."

들판 한쪽에는 나무들이 빽빽하게 들어찬 빈터가 있었다. 고르돈, 두도로프, 타냐가 같은 소속 부대 사람들과 함께 아침부터 트럭이 도착하기를 기다리고 있었다. 다섯 시간 이상을 기다리느라 심심했던 사람들은, 풍파 많은 인생을 산 타냐의 이야기에 귀를 기울였다.

타냐는 지바고 장군을 만난 이야기를 했다.

"바로 어제, 지바고 장군이 나를 불렀어요. 크리스티나에 대해 이것저것 물어 보려고요. 나와 크리스티나는 친했잖아요. 그래서 부른 거지요. 내가 알고 있는 것을 다 말했더니 고맙다고 하더군요. 그리고 내 이름과 고향을 물었어요. 부끄러웠어요. 난 사실 부모도 모르고 버려진 아이잖아요. 그랬더니 장군은 부끄러워하지 말고 이야기해 보라고 했어요. 그래서 하고 싶은 말을 다 했어요. 내 말이 끝나자 그 분은 이건 기적이라면서, 지금은 시간이 없어 그냥 돌아가지만 다시 찾아올 거라고 했어요. 난 꿈만 같았어요. 그 분은 나의 삼촌이라고 했어요. 내가 장군의 조카라는 거지요. 그 분은 날 대학에 보내겠다고 말했어요. 당신들은 믿지 않겠지만요."

이 말을 듣고 고르돈과 두도로프는 깜짝 놀랐다. 혹시 타냐가 자기들의 친구 유리의 딸일지도 모른다는 생각이 들었기 때문이다.

"타냐, 당신이 그 동안 어떻게 살아 왔는지에 대해 우리에게도 얘기해 줄 수 있소?"

"뭐가 어렵겠어요. 말해 드릴게요."

"우리 어머니 라리사 코마로프스키는 러시아의 장관 코마로프스키 동무의 부인이었대요. 그러나 나는 그 남자의 친딸이 아니에요. 나는 교육도 받지 못했어요. 이야기는 시베리아 끝 중국 국경이 가까운 코사크에서 시작돼요. 우리 편인 적위군이 백위군의 본거지로 왔을 때, 코마로프스키는 우리 어머니와 가족들을 특별 열차에 데려가라는 명령을 내렸어요. 어머니는 한 발짝도 갈 수 없다고 했지요. 코마로프스키는 나에 대해 전혀 모르고 있었대요. 내가 태어났는지조차도요. 어머니는 그와 오랫동안 헤어져 있을 때 나를 낳았대요. 그 사람은 어린애를 몹시 싫어했어요. 적위군이 가까이 오자 어머니는 나를 마르파 아주머니에게 잠시 맡겼어요. 아주머니한테 가면 과자를 준다고 해서 갔어요. 나는 어머니가 보고 싶어서 얼마나 울었는지 몰라요. 그 집은 부유한 편이었어요. 나는 마르파 아저씨를 그냥 아버지라고 불렀어요. 아주머니는 자기를 어머니라고 부르라고 했지만, 그 말이 나오지 않아 그냥 아주머니라고 불렀지요. 그러는 동안 세월이 흘러 몇 해가 지났어요. 아주머니는 나에게 이일 저일을 다 시켰어요. 나는 아주머니의 딸 페탸를 돌보아야 했어요. 페탸는 세 살인데 소아마비로 걷질 못했죠. 아주머니는 내 튼튼한 다리를 볼 때마다 나를 째려 보았어요. 자기 딸의 다리가 마비된 것은 내가 저주를 했기 때문이라나요. 바실리 아저씨가 아랫마을로 가서 소를 팔아 돈을 받았어요. 두 포대나 되는 돈이었죠. 아저씨는 술에 취해 그 사실을 동네 사람들이 다 알도록 떠들고 다녔어요. 그러던 어느 날, 누군가가 문을 사납게 열고 들어왔어요. 소를 판 돈이 어디 있느냐고 다짜고짜 물었어요. 이 집 주인을 자기가 숲 속에 잡아 두었다면서 돈만 내놓으면 살려 주겠다고 했지요. 그러자 아주머니는 마루 밑에 돈이 있다고 했어요. 하지만 남자는 아주머니를 의심했는지 페탸를 데리고 마루 밑으로 내려가겠다고 했어요. 혹시 위에서 마루를 막아 버릴지도 모른다고 생각한 거죠. 그놈이 페탸를 안고 내려가자 아주머니는 제정신이 아닌 것 같았어요. 그러더니 갑자기 무거운 트렁크를 가져다가 그 위에 올려 놓았어요. 우리는 트렁크 위에 올라갔어요. 도둑놈이 밑에서 뚜껑을 열려고 했지만 소용이 없자 페탸를 죽이겠다고 했어요. 하지만 아주머니는 아무것도 알아듣지 못했어요. 아무리 소리를 질러도 아주머니가 말을 듣지 않자, 그는 페타를 죽였어요. 나는 정신 없이 거리로 뛰어나가 지나가는 기차를 세웠어요. 이 사실을 알렸더니 사람들이 기차에서 내려 아주머니 집으로 왔지요. 그 도둑놈은 잡았지만 이미 아주머니는 미쳐 버렸고 페탸는 죽은 뒤였어요. 사람들은 그 도둑을 기찻길 위에 묶고 기차를 지나가게 했어요. 참혹하게 죽인 거죠. 그 때 나는 사람들에게 기차에 태워 달라고 했고, 그 뒤로 고아처럼 방황하게 되었답니다."

타냐의 말을 들은 고르돈과 두도로프는 한참 동안 아무 말도 하지 않았다. 그들은 잠시 풀밭을 걸었다.

고르돈이 두도로프에게 말했다.

"자넨 타냐가 누구인지 알겠나?"

"그럼 알고말고."

"예브그라프가 보살펴 주겠지."

그 후 10여 년의 세월이 흐른 어느 조용한 여름날 저녁이었다. 고르돈과 두도로프는 다시 만났다. 그리고 높은 장소에서 모스크바를 내려다보았다. 그들은 예브그라프가 정리해서 출간한 지바고의 책을 읽었다. 여러 번 읽어서 거의 외운 것도 있었다.

모스크바는 지바고의 고향이며, 그와 반생을 함께 하고 그와 관련된 사건들을 간직한 도시였다.

전쟁은 끝났지만 기대했던 광명과 해방은 오지 않았다. 그날 저녁, 창가에 앉은 두 사람은 지바고의 이야기와 그 주변 사람들을 떠올리면서 평화스런 고요 속에 잠겨 있었다.

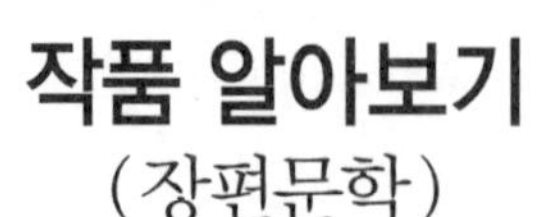

작품 알아보기
(장편문학)

〈닥터 지바고〉는 옛 소련의 시인이자 작가인 파스테르나크의 유일한 장편 소설이다.

의사이며 시인인 유리 지바고의 지식인으로서의 고뇌와 정신의 편력을 시적 문장으로 전개한 이 작품은 전세계적인 베스트셀러가 되었으며, 영화로도 만들어졌다.

〈닥터 지바고〉에서 주인공 지바고는 러시아 인텔리의 양심을, 여주인공 라라는 러시아의 국토와 민중을 상징하고 있다. 따라서 이 작품은 지바고와 라라의 사랑 이야기인 동시에, 순수한 지식인과 러시아 민중이 공산주의 혁명과 전체주의적 횡포에 의해 무참히 붕괴되어 가는 비극적 현대사를 다룬 것이다. 지바고는 소용돌이 치는 역사의 혼돈 속에서 인생의 실패만을 거듭하다가 허무와 실의 속에 비참한 일생을 마치고 만다.

파스테르나크가 이 작품에서 말하고자 하는 것은 폭력에 의해 이루어진 러시아 혁명 정부의 배신과 인간 부정에 대한 지식인의 무력한 항의이다.

한편, 이 소설이 보여 주는 서정적 아름다움과 서사시적인 전개, 극도로 세련된 문체와 철학적인 사색, 심오한 종교관은 이 작품을 불멸의 고전으로 승화시켜 주는 원동력이 되고 있다.

논술 길잡이
(장편문학)

❶ 다음 내용을 통해 볼 때 지바고는 풍족한 생활을 누리다가 고아가 되어 니콜라이 삼촌을 따라 떠나게 된다. 자신이 갑자기 이런 환경에 처한다면 어떤 마음이 들지에 대해 써 보자.

> 유리는 거리 곳곳에 지바고라는 자기네 성씨가 넘쳐나는 도시에 살았다. 지바고 공장, 지바고 은행, 지바고 건물……. 그러나 하루 아침에 모든 것이 사라져 버리고 말았다. 지바고 가문은 몰락한 것이다.

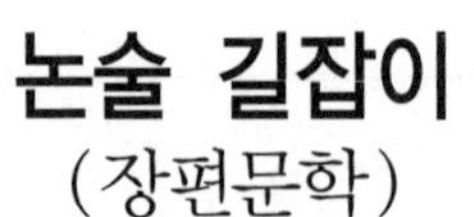

논술 길잡이
(장편문학)

❷ 다음 그림은 라라의 오빠 로디온이 라라를 찾아와 돈을 꾸어 달라고 애원하는 장면이다. 로디온은 무엇 때문에 라라에게 돈을 꾸러 왔는가? 또 이 일로 인해 라라는 이후 어떤 일을 겪게 되는지 써 보자.

....

....

....

....

논술 길잡이
(장편문학)

❸ 지바고는 전쟁터에 나가 있다가 2년 만에 집으로 돌아와 가족들과 만나게 된다. 전쟁으로 오랫동안 보고 싶은 사람을 만나지 못했던 지바고의 심정을 상상해서 써 보자.

❹ 〈닥터 지바고〉의 작가 파스테르나크의 생애와 이 작품을 쓸 당시의 옛 소련의 시대적 배경을 조사해서 써 보자.

논술 길잡이
(장편문학)

❺ 다음은 빨치산 부대에서 1년 반 동안 지낸 지바고가 탈출을 시도하는 부분이다. 지바고가 위험을 무릅쓰고 탈출을 시도하게 된 이유는 무엇인가?

그는 막사로 돌아가려다가 이 곳을 도망쳐 유리아틴으로 떠나야겠다고 결심했다. 그는 오래 전부터 스키와 건빵 등을 넣은 주머니와 그 밖에 도망가는 데 필요한 물건을 숨겨 놓고, 그 곳에 표시를 해 두었다.

보름달이 휘영청 밝은 밤에 그는 탈출을 계획했다.

논·술·세·계·대·표·문·학 〈전60권〉

펴 낸 이　정재상
펴 낸 곳　훈민출판사
주　　소　경기도 고양시 덕양구 원당동 416번지
대표전화　(031)962-3888
팩　　스　(031)962-9998
출판등록　제395-2003-000042호